生まれる森

島本理生

講談社

生まれる森

装画　ミヒャエル・ゾーヴァ
装幀　坂川栄治＋藤田知子（坂川事務所）

子供のころは毎日なにかしらの絶望や発見があって、きっと自分は大人になる前に死んでしまうという妙な確信を抱いていたことも今となっては笑い話だけど、放課後の校庭にあふれる光や砂糖の入っていないコーヒーの味、セックスに関する具体的な情報や降り出す直前の雨の気配には、今よりも敏感だった気がする。

サイトウさんに出会ってから深い森に落とされたようになり、流れていく時間も移り変わっていく季節も、たしかに見えているのに感じることができない、なんだかガラスごしにながめている風景のような気がしていた。抜け出したと思ったら、本当は最初から最後まで同じ場所をまわっていたり、どんなに歩いても一向に見えない出口に疲れたり、生きてるってなんだろうなんて最近の会話では冗談以外でめったに口に

しないことについて本気で悩んでみたり。

暮らし始めてすぐの部屋はまだ自分の気配が薄くて、明け方にふっと目を覚ますたびに途方に暮れてしまう。

それでも起き上がってベランダに出ると、うっすらと霧が立ち込めた夜を、街灯の明かりが照らしている。濡れた草木の陰に小さな灰色のカエルが何匹もうずくまって、生ぬるい空気に昔よく遊んだ田舎の匂いを感じた。

その中でぼんやりと汗をかきながら熱くて苦いコーヒーを飲んでいると、歩き疲れた森で透き通った湖を見つけたような気持ちになるのだった。

そんなふうにして、なんとかやって来たばかりの夏をやり過ごしている。


あれは大学が休みに入る少し前のことだった。

五分遅れで試験の時間に間に合わず、教室を追い出されたわたしが中庭で缶コーヒーを飲んでいたら、同じ学科の加世ちゃんがやって来た。

夏休みは九月の初めまで京都の実家に帰っているというので、一人で暮らしている

部屋はどうするのかと尋ねたら
「そのままにしておくしかないよね。家賃はもったいないけど」

「それならわたしに貸してよ」

冗談半分で頼んだら、意外にもいらない洋服をくれるような調子で
「いいよ、今週の金曜日からでいい？」

あっという間に交渉が進んでしまったので、こちらのほうがあわててストップをかけた。

両親に一応は相談したら、なにかと面倒なことが起こるとマズイからと、父は少し反対した。それでもしばらく一人になりたいのだと最後は強引に押し切るようにして説得した。少し後ろめたいところがあるせいか、父は渋々だが了解した。

当分の荷物をまとめながら「説得というのは話す人間の信憑性と魅力と勢力、この三つが鍵となります」というのを以前、本で読んだことを思い出した。おそらく今のわたしに最初の二つは当てはまらない。勢いだけでなんとかなったのは運が良いことだった。

加世ちゃんのアパートは小田急線の経堂駅から歩いて十五分の場所にある。経堂は小ぎれいなのにどこか懐かしい感じのする町だ。駅前の商店街を抜けて、ファックスで送ってもらった地図を見ながら歩いた。

見られて困るものは持って帰るから好きにして良いと笑っていただけあって、加世ちゃんの部屋には主のプライバシーを感じさせるようなものは、ほとんど残っていなかった。

窓を開けると小さな白いベランダがついていて、広い小学校の校庭とお墓が見えた。

とりあえずお湯を沸かして持参したカップでコーヒーを飲んだ。わたしの入れるコーヒーの六割はミルクで出来ている。飲み終わってからラジオをつけてお昼の交通情報を聞き流しつつ、洗面所のコップに自分の古い歯ブラシを差したらようやく実感が湧いてきたのだった。

泣かないと決めたのに、ベッドの中で深夜放送を見ていたら不覚にもまぶたが熱く

なってきて、気を抜いた後には果てしなく涙があふれ出した。これは気がすむまで泣こうと思って腹筋に力を入れたら、今度はちっとも涙は流れなくなった。

結局、不完全燃焼のままに目が冴えてしまい、仕方なく起き上がってTシャツの上にパーカを羽織った。

サンダルを履いて夜の中へ出る。首筋をひんやりした風が撫でた。今年の夏はなかなか気温が上がらない。街灯に照らされたお墓のほうでは羽虫が飛びまわっていた。お墓の中に入ると、狭い敷地内に並んだ墓石が止んだばかりの雨に濡れて光っている。地面は少しぬかるんでいて、散りかけた雛菊や、お供えのひからびた白米からはかすかに酸っぱい匂いがした。

サンダルが汚れないように気をつけながら、しばらくお墓の中をうろうろしていた。

幽霊でも出てきたならこの鬱屈した気分を語ることができるかもしれないと期待したが、むこうは多分わたしになんの用事もないのだろう、耳がちゃんと機能しているのか心配になるくらいになんの物音もしない。

それでも数日前にテレビドラマで見た「四谷怪談」の話を思い出したら急に怖くなってきて、速足で墓場から出た。

小学校の真っ黒な窓ガラスを見上げながら、子供のときに女子トイレから女の子のすすり泣きを聞いたと言い張ったときの友達はどんな気持ちだったのだろうと、ふと考えた。嘘をついていると自覚しながら、みんなに注目されたかったのだろうか。それとも本当にそんな声を聞いたような気がしたのだろうか。

ムキになって主張した友達もムキになって否定したわたしも、結局は同じぐらい子供だったことを思い出していた。


高校三年生の冬だった。大学受験が終わってすぐのころで、桜のつぼみはまだひっそりと固く、路上には踏み荒らされた積雪が残っていた。

子供ができた、と話したときの両親の顔はよく覚えている。念願のマイホームが目の前で土砂崩れにあったみたいな表情だった。それでも最初はこちらが危惧していたよりは落ち着いていた。ただし、相手がだれだか分からない、と続けた瞬間にものす

ごい沈黙が訪れた。

さすがにおそろしくなって視線を足元に落としていたら、やっと口を開いた父が

「まったく心当たりはないのか」

そう尋ねた。心当たりがありすぎて絞れない、と答えたら逆上した父がハサミをつかみ、わたしの髪をむちゃくちゃに切って、野球部の少年みたいな長さにしてしまった。

これでもう悪い虫がつかない、と口にしたときの父はもう自分でもなにを言ってるのかよく分からないという顔をしていた。

母がわたしたちの間に止めに入って

「いまさら責めても、どうしようもないじゃない。本人がだれよりも一番分かってるわよ」

そう言ってくれなければ父はあのまま完全に我を失っていただろう。

せめてもう少し上手い言い方をすれば良かったと、後から洗面所の鏡の前に立ってちょっと後悔した。

そのときの、わたしの背中に触れた母の手の動きが一瞬だけぎこちなかったことや、汗ばんだ額に張り付いた父の薄い髪を思い出すと、その後の病院で書いた問診表の回答がかなり曖昧だったことや、カーテンごしに響いていた無機質な金属音やなにかはすべて、それよりもずっと遠い昔のことのように思われるのだった。

なにもかも終わった後ではたと冷静になってからわたしを見た父の表情には、罪悪感に苛まれたような、それでもやはりわたしが悪いと責めているような、そんな気持ちの揺れ動きが映し出されていた。

そのうちに元の空気を取り戻せるだろうと期待しながらも、数ヵ月はとくに大きな変化なく過ぎていった。家族でテレビを見ていても、くだらない話に笑っても、不穏な気配はいつもアイスティーの底で溶け残ったガムシロップのように沈んでいた。

夏休みになったらもっと顔を合わせる時間が増えてしまうのだろうかと頭を抱えていたところに、加世ちゃんのアパート話が舞い込んできたのだった。

その騒動に関してはだれにも話すまいと思っていたけれど、たった一人、キクちゃ

んにだけは打ち明けた。

キクちゃんは高校のときの同級生だった。もともと彼女とわたしはそこまで親密な話をする仲ではなかったが、ほかの女友達には猛烈な非難をされるのが目に見えていたので、とてもじゃないけれど話せなかった。

夏休みにキャバクラで年齢をごまかして働いていたことがバレて停学になったキクちゃんはその手の噂の女王だった。ふざけた男子からキャバ嬢というあだ名で呼ばれると平然と笑顔で振り返り、そんな噂を楽しんでいるようにすら見えた。

受験の後もしばらく休んでいたわたしがひさしぶりに高校へ登校すると、キクちゃんはすっかり生徒の減った教室の中でＭＤウォークマンを聴いていた。わたしの姿を見ると、もともと大きな目をさらに大きく見開いて

「ずいぶん潔い姿になっちゃったねえ」

驚いた顔で言った。彼女が外したＭＤウォークマンのヘッドホンからはヴェルヴェット・アンダーグラウンドの曲が流れてきた。

お昼休みにだれもいない空き教室でカレーパンを食べながらわたしの話を聞いたキ

クちゃんは、ううむ、と小さな声でうなった後で
「本当にだれの子供か分からなかったの?」

頷いたわたしに、キクちゃんはあきれたように笑いながら
「私の気のせいかもしれないけど、野田さんってどっちかと言えば、そういうトラブルとは無関係なタイプだと思ってたよ」

「自分でもそうだと思ってた」

ダメじゃん、と笑いながらキクちゃんは唇の端についたカレーパンの食べカスを親指でぬぐった。

「短い髪はそんなに悪くないよ。思春期前の男の子みたい」

からかうように言われ、わたしは黙ったまま暖かい缶の紅茶を飲み干した。曇った窓ガラスごしに、厚い雲におおわれた冬の終わりの空が見えた。校庭でジャージ姿の下級生たちがサッカーボールを相手に走りまわっている。

「けど、やっぱり好きじゃない人と寝ちゃだめだな」

彼女の言葉に、わたしは曖昧に頷いた。子供の父親のことで一つだけはっきりと分

かっていることがある。
それは、サイトウさんの可能性だけはなかった、ということだった。

そんなキクちゃんから電話がかかってきたのは七月の終わりだった。
彼女は高校卒業後、美容専門学校に進学していた。何ヵ月かぶりのあいさつの後で唐突に、キャンプに行かないかという誘いを受けた。困惑するわたしに、一等賞のヨーロッパ旅行を狙って応募したコーラの懸賞でなぜか二等賞のキャンプ道具一式が当たってしまったのだと彼女は説明した。
「キクちゃん、アウトドアなんて興味がないと思ってたよ」
わたしがそう言うと
「興味ないよ。けど、使わなきゃもったいないでしょ」
あっさりと返されたので
「売り飛ばしちゃえばいいいんじゃないの?」

と納得がいかずに聞き返したところ、彼女の家族がすでに乗り気なのだという。

「私の家族って男ばっかりでつまんないんだよね。だからって、自分が当てたもので家族だけが楽しむのもなんだか癪にさわるし。おまけにキャバクラで働いていたのが知られてから、私だけみんなと気まずい」

そりゃあそうだろうと心の中で呟きながら、どうせバイト以外に予定は入っていなかったので、行くと答えて詳しい日程を確認した後で電話を切った。

その夜にバイト先のマンガ喫茶で、店長に次の週末は休みにしてほしいと頼むと
「学生の連続欠勤で、俺はもう疲れたよ」

そう言ってため息をついたが、ほとんどの仕事を古株のアルバイトにまかせている彼はこの店で働くだれよりも働いていない。

「旅行でも行くの?」

店長、と油性ペンで大きく書かれた名札を黒いエプロンの胸につけた店長は訊いた。

「キャンプです」

遠慮がちに答えたら、キャンプ、と小さく復唱してから
「野田さん、俺は子供のころに悪いことをすると夕食抜きで家からしめ出されて、仕方なく真冬に庭でテントを張って寝たことがあったよ」

店のドアが開いて、わたしは来店したお客に伝票を渡しながら横目で店長のほうを見た。

彼の近眼はひどく、レンズが本当に牛乳ビンの底ぐらい厚い黒縁のメガネをかけているので目の表情はほとんど読めないが、おそらく笑っているのだろう。

「それってちょっと虐待じゃないでしょうか」

「最近の子はすぐに体罰だとか虐待だとか言いますけどね、俺たちのときには悪いことしたら夕食抜き、竹ボウキで二十回たたかれる、これが当然だったよ」

相槌を打ちながらも、その冗談のようなメガネと姿勢の悪い背中を見て、この人はたしかに竹ボウキで叩かれそうなキャラクターだと納得してしまうのは偏見だろうかと考えていた。

店長はレジの中の金額を確認するとエプロンを脱いで、あとはまかせたと言いなが

ら
「野田さん、虫よけスプレーだけは忘れちゃだめだよ」

昨晩も眠っている間に三回も刺されたと、見せなくても良いと言ってるのに赤くなった腕を突き出した。目の前で、蚊が飛んでいるマネをして片手をひらひらと動かす動作がうっとうしいことこの上ない。

「プロレス始まっちゃいますよ」

はやく帰るように促したら、あわてて黒いリュックをつかんだ彼は、片付けておくように言い残して脱いだエプロンをレジに置き去りにしていった。わたしは仕方なくエプロンをつかんでロッカールームへ向かった。


掃除を終えて次のバイトの女の子に仕事を引き継ぎ、帰ってくる途中に本屋へ立ち寄った。文庫の棚をしばらくながめてから雑誌のほうへ移動すると、幼い子供が表紙の育児雑誌が並んでいた。

自業自得だし、医者からどうするのかと聞かれたときにも即答したというのに、い

ったん深いところまで落ちてしまった気持ちは一向に浮かび上がってこないまま今に至っている。

わたしはハインラインの『夏への扉』を買って本屋を出た。歩いていると、すぐにTシャツの背中に汗がにじんだ。今朝はずいぶんと暑い。小学校の前を通ったらプールで遊ぶ子供たちの歓声が聞こえてきた。

アパートに帰ってから、塩味の鳥粥を作って食べた。徹夜明けはいつも少し胃が重たく、煮込んだ白米や刻んだネギの匂いが香ばしくてありがたい。

食べ終わった後、床に寝転がってから扇風機に額を近づけて、ぼんやりと朝のワイドショーを見た。世の中は今日も変わらず、さほど重要じゃない話題といつもの不幸で満ちている。

すぐに退屈して、紙袋から取り出した『夏への扉』を読み始めた。初めて読んだのは中学生のときで、そのときに抱いた感想よりも図書室から見えていた広い校庭や眩しかった空のことが思い起こされた。

次第に煮詰まっていくお粥のような眠気が訪れて、わたしはベッドによじのぼっ

た。

枕にはまだ加世ちゃんの香水の匂いが残っている。不思議な気持ちになりながら目を閉じた。

おそろしい夢を見た。

わたしは子供のころに家族で旅行した、江の島の植物園の前に立っている。そこには両親や高校時代の同級生、すでに他界した祖父母もいる。月の明るい夜だった。表情はよく見えるのに、みんなの足元だけが真っ暗に染まっている。

ふと植物園のほうを見ると、門は開かれているのに係員がいなかった。背の高い樹木が生い茂って夜の闇をさらに濃くしている。わたしはその中に入っていった。『ねむの木』という札が付いた大きな樹の下で、わたしはなにかが積み重ねられているのを見つける。

それは数え切れないほどのカエルだった。生きているカエルではなく、解剖された後の腹部を開かれたカエルだった。やわらかい潮風に乗って、腐った魚にも似た生ぬ

んにだけは打ち明けた。

キクちゃんは高校のときの同級生だった。もともと彼女とわたしはそこまで親密な話をする仲ではなかったが、ほかの女友達には猛烈な非難をされるのが目に見えていたので、とてもじゃないけれど話せなかった。

夏休みにキャバクラで年齢をごまかして働いていたことがバレて停学になったキクちゃんはその手の噂の女王だった。ふざけた男子からキャバ嬢というあだ名で呼ばれると平然と笑顔で振り返り、そんな噂を楽しんでいるようにすら見えた。

受験の後もしばらく休んでいたわたしがひさしぶりに高校へ登校すると、キクちゃんはすっかり生徒の減った教室の中でＭＤウォークマンを聴いていた。わたしの姿を見ると、もともと大きな目をさらに大きく見開いて

「ずいぶん潔い姿になっちゃったねえ」

驚いた顔で言った。彼女が外したＭＤウォークマンのヘッドホンからはヴェルヴェット・アンダーグラウンドの曲が流れてきた。

お昼休みにだれもいない空き教室でカレーパンを食べながらわたしの話を聞いたキ

クちゃんは、ううむ、と小さな声でうなった後で
「本当にだれの子供か分からなかったの?」

頷いたわたしに、キクちゃんはあきれたように笑いながら
「私の気のせいかもしれないけど、野田さんってどっちかと言えば、そういうトラブルとは無関係なタイプだと思ってたよ」

「自分でもそうだと思ってた」

ダメじゃん、と笑いながらキクちゃんは唇の端についたカレーパンの食べカスを親指でぬぐった。

「短い髪はそんなに悪くないよ。思春期前の男の子みたい」

からかうように言われ、わたしは黙ったまま暖かい缶の紅茶を飲み干した。曇った窓ガラスごしに、厚い雲におおわれた冬の終わりの空が見えた。校庭でジャージ姿の下級生たちがサッカーボールを相手に走りまわっている。

「けど、やっぱり好きじゃない人と寝ちゃだめだな」

彼女の言葉に、わたしは曖昧に頷いた。子供の父親のことで一つだけはっきりと分

かっていることがある。
　それは、サイトウさんの可能性だけはなかった、ということだった。

　そんなキクちゃんから電話がかかってきたのは七月の終わりだった。
　彼女は高校卒業後、美容専門学校に進学していた。何ヵ月かぶりのあいさつの後で唐突に、キャンプに行かないかという誘いを受けた。困惑するわたしに、一等賞のヨーロッパ旅行を狙って応募したコーラの懸賞でなぜか二等賞のキャンプ道具一式が当たってしまったのだと彼女は説明した。
「キクちゃん、アウトドアなんて興味がないと思ってたよ」
　わたしがそう言うと
「興味ないよ。けど、使わなきゃもったいないでしょ」
　あっさりと返されたので
「売り飛ばしちゃえばいいんじゃないの?」

と納得がいかずに聞き返したところ、彼女の家族がすでに乗り気なのだという。

「私の家族って男ばっかりでつまんないんだよね。だからって、自分が当てたもので家族だけが楽しむのもなんだか癪にさわるし。おまけにキャバクラで働いていたのが知られてから、私だけみんなと気まずい」

そりゃあそうだろうと心の中で呟きながら、どうせバイト以外に予定は入っていなかったので、行くと答えて詳しい日程を確認した後で電話を切った。

その夜にバイト先のマンガ喫茶で、店長に次の週末は休みにしてほしいと頼むと

「学生の連続欠勤で、俺はもう疲れたよ」

そう言ってため息をついたが、ほとんどの仕事を古株のアルバイトにまかせている彼はこの店で働くだれよりも働いていない。

「旅行でも行くの?」

店長、と油性ペンで大きく書かれた名札を黒いエプロンの胸につけた店長は訊いた。

「キャンプです」

ら
「野田さん、虫よけスプレーだけは忘れちゃだめだよ」

　昨晩も眠っている間に三回も刺されたと、見せなくても良いと言ってるのに赤くなった腕を突き出した。目の前で、蚊が飛んでいるマネをして片手をひらひらと動かす動作がうっとうしいことこの上ない。

「プロレス始まっちゃいますよ」

　はやく帰るように促したら、あわてて黒いリュックをつかんだ彼は、片付けておくように言い残して脱いだエプロンをレジに置き去りにしていった。わたしは仕方なくエプロンをつかんでロッカールームへ向かった。

　掃除を終えて次のバイトの女の子に仕事を引き継ぎ、帰ってくる途中に本屋へ立ち寄った。文庫の棚をしばらくながめてから雑誌のほうへ移動すると、幼い子供が表紙の育児雑誌が並んでいた。

　自業自得だし、医者からどうするのかと聞かれたときにも即答したというのに、い

ったん深いところまで落ちてしまった気持ちは一向に浮かび上がってこないまま今に至っている。

　わたしはハインラインの『夏への扉』を買って本屋を出た。歩いていると、すぐにTシャツの背中に汗がにじんだ。今朝はずいぶんと暑い。小学校の前を通ったらプールで遊ぶ子供たちの歓声が聞こえてきた。

　アパートに帰ってから、塩味の鳥粥を作って食べた。徹夜明けはいつも少し胃が重たく、煮込んだ白米や刻んだネギの匂いが香ばしくてありがたい。

　食べ終わった後、床に寝転がってから扇風機に額を近づけて、ぼんやりと朝のワイドショーを見た。世の中は今日も変わらず、さほど重要じゃない話題といつもの不幸で満ちている。

　すぐに退屈して、紙袋から取り出した『夏への扉』を読み始めた。初めて読んだのは中学生のときで、そのときに抱いた感想よりも図書室から見えていた広い校庭や眩しかった空のことが思い起こされた。

　次第に煮詰まっていくお粥のような眠気が訪れて、わたしはベッドによじのぼっ

た。

　枕にはまだ加世ちゃんの香水の匂いが残っている。不思議な気持ちになりながら目を閉じた。


　おそろしい夢を見た。

　わたしは子供のころに家族で旅行した、江の島の植物園の前に立っている。そこには両親や高校時代の同級生、すでに他界した祖父母もいる。月の明るい夜だった。表情はよく見えるのに、みんなの足元だけが真っ暗に染まっている。

　ふと植物園のほうを見ると、門は開かれているのに係員がいなかった。背の高い樹木が生い茂って夜の闇をさらに濃くしている。わたしはその中に入っていった。

『ねむの木』という札が付いた大きな樹の下で、わたしはなにかが積み重ねられているのを見つける。

　それは数え切れないほどのカエルだった。生きているカエルではなく、解剖された後の腹部を開かれたカエルだった。やわらかい潮風に乗って、腐った魚にも似た生ぬ

　遠慮がちに答えたら、キャンプ、と小さく復唱してから
「野田さん、俺は子供のころに悪いことをすると夕食抜きで家からしめ出されて、仕方なく真冬に庭でテントを張って寝たことがあったよ」

　店のドアが開いて、わたしは来店したお客に伝票を渡しながら横目で店長のほうを見た。

　彼の近眼はひどく、レンズが本当に牛乳ビンの底ぐらい厚い黒縁のメガネをかけているので目の表情はほとんど読めないが、おそらく笑っているのだろう。

「それってちょっと虐待じゃないでしょうか」

「最近の子はすぐに体罰だとか虐待だとか言いますけどね、俺たちのときには悪いことしたら夕食抜き、竹ボウキで二十回たたかれる、これが当然だったよ」

　相槌を打ちながらも、その冗談のようなメガネと姿勢の悪い背中を見て、この人はたしかに竹ボウキで叩かれそうなキャラクターだと納得してしまうのは偏見だろうかと考えていた。

　店長はレジの中の金額を確認するとエプロンを脱いで、あとはまかせたと言いなが

るい血の気配が運ばれてくる。振り返って目をこらすと、徘徊しているみんなの足元を染めていたのはカエルの血だということに気づいた。

そこで我に返ったわたしは、出口にむかって走りだした。スカートのポケットの中ではなぜか大量の小銭が鳴っている。公衆電話を求めて植物園を出た。

助けてほしいという一言のために受話器をつかんで、はたと、だれにかければいいのか分からずにダイヤルを見つめたまま途方に暮れた。その間も気味の悪い死の気配は背後まで迫ってくる。

あきらめて受話器を置いたとき、遠くの空に一筋の流星が見えた。


ひさしぶりに早起きをしたわたしは、アパートの前まで迎えに来てくれたキクちゃん一家の車に手を振った。白い大きなワゴン車だった。彼女の家は父親一人、兄が一人、弟が一人という、本当に男ばかりの家族である。

わたしを見たキクちゃんは開口一番に

「だいぶ髪が伸びたね」

そう言ったので、ちょっと苦笑いした。

荷物を後ろに積んでから車に乗り込んで、運転席のお父さんにあいさつをすると、日に焼けた腕で頭を掻きながら
「良かった、ものすごくケバい子が来るんじゃないかと心配してたんだよ」

いきなりそんなことを言われたので、わたしがとまどっていると、キクちゃんが後部座席からお父さんの頭を軽くはたいた。

「初対面なのに失礼なこと言わないでよ」

「おまえに友達がいないのが悪いんだろ。おまえは違うって言ってたけど、類は友を呼ぶって言うし、てっきり水商売のときの仲間かと思ったんだよ」

いきなりそんな会話を聞かされ、いったいどこが家族と気まずいのだと内心思いつつもわたしは相槌を打っていた。

助手席から振り返ったキクちゃんの弟は中学生で、お父さんに顔がそっくりだった。

どうも、とあまり興味なさそうに会釈した横顔は日に焼けていて、十五歳だというわりには体が大きくて車の中では窮屈そうだった。夏生君という名前だとキクちゃんが教えてくれた。くっきりとした目が丸くて鼻が高い、どことなくタイとかフィリピンの少年を連想させるような顔立ちで、鮮やかな青いボーダーのTシャツを着ていた。

車が走り始めると、反対側に座っていた男の人から

「うちの父親は急ブレーキが多いから気をつけて」

そう注意されたのでお礼を言うと、銀縁のメガネをかけたその人は丁寧な笑顔で

「長男の雪生です」

「野田です。キクちゃんとは高校のときに同じクラスでした」

「キクコが女の子の友達をつれてきたのは初めてだな。いろいろ困った話は聞かされてると思うけど、こりずに仲良くしてやって」

そう言って前をむいた。すっきりとした輪郭に鼻筋がまっすぐ通った横顔だった。

となりに座っていたキクちゃんが

「お兄ちゃんだけあんまり似てないでしょう」

そう言って笑った。わたしが頷くと、バックミラーを見ながらキクちゃんの父親が
「雪生は一人だけ家内にそっくりなんですよ。残りはみんな俺に似て、暑苦しい顔に生まれちゃったんだけどな」

その言葉にキクちゃんは不服そうな顔で、お酒が入るとかならず菊子は俺たちの良いところだけを取ったって言って泣くクセに、と耳打ちした。

「野田さんのところは何人家族?」

雪生さんが尋ねた。三人だと答えると
「僕は一度でいいから一人っ子になってみたかったな。キクコと夏生がしょっちゅうケンカして、そのたびに仲裁させられて」

「よく言うよ。兄貴は口が上手いから、いつも俺たちをだまして一番おいしいところだけ持っていくクセに」

夏生君が流れていく景色を見ながら呟いた。低いのによく通る、あまり聞いたことのない独特の響きをふくんだ声だった。

「夏生君ってすごく良い声してるねえ」

思わず感心して同意を求めたら、キクちゃんが含み笑いをした。夏生君は無言のまま、そっぽをむいている。

嬉しいときにはいつも黙り込むのだと雪生さんが言った瞬間、丸めたガムの銀紙が前から飛んできた。


お昼ごろに到着したキャンプ場は大きな河原の近くにあり、まわりは瑞々しい青葉が茂る山々に囲まれていた。強い日差しとは対照的に空気はひんやりとしていて、川の水を汲むと、底のほうでいくつも小石が光っているのが見えた。

キクちゃんの父親が炭に火をつけようと必死になって扇いでいる。浮き出た筋肉の形がはっきりと見て取れる、頼もしい腕だった。

「キクちゃんのお父さんって、なんの仕事をしてるの?」

残りの四人で緑色のテントを張っているときに尋ねたら、推理作家だという答えが返ってきた。

「ほんと？」

思わず眉を寄せて聞き返すと、夏生君があきれたように
「ウソに決まってるじゃないですか。見た目通りのガテン系ですよ」

そう告げてから、彼は自分も火を熾したいと言って父親のところへ走っていった。

車の荷台からテーブルやイスを出すように言われて、キクちゃんと二人で運んでいたら雪生さんがやって来て、昼食の用意を始めた。

「雪生さんが支度するんですか？」

クーラーボックスから牛肉を出している姿を見て尋ねると、彼は笑って頷いた。

「片親の家庭はどうしても一番上がしっかりしちゃうんだよね」

手伝います、と言ったら、感じの良い笑顔で玉ねぎと包丁を差し出した。

ハンゴウで炊いたごはんは底がコゲていて少し固かったけれど、水がきれいなせいか、一つ一つの粒が大きくふっくらとしていた。テーブルを囲んで湯気のたつカレーを食べながら、ひさしぶりに大人数で食事をしたな、と思った。

なりにいたキクちゃんに話しかけた。

「たまにはアウトドアも悪くないね」

キクちゃんは頷いて
「赤い光には催淫効果があるんだって」

そう言いながら抱えたヒザに頭をつけた。

しばらくして、わたしは一人でトイレに立った。お父さんが懐中電灯を渡してくれた。

公衆トイレは小高い丘の上にあった。トイレから出て手を洗いながら見下ろすと、流れていく川沿いに点々と遠くまで浮かび上がったオレンジやグリーンのテントから漏れてくる笑い声がやけに幸福そうだった。それは暗闇で揺れる炎みたいに鮮明で、それでいて自分とはうまく結びつけることのできない、大きな川を挟んだ向こう側の風景のような距離だった。

雪生さんがやって来て、丘の下をながめていたわたしに具合でも悪いのかと尋ねた。

「大丈夫、ぼうっとしているだけです」

雪生さんはまだ炎を囲んでいるキクちゃんたちのほうを見ながら

「今日はうちの家族の行事に付き合ってくれてありがとう。ひさしぶりにキクコも楽しそうだし」

「仲が良いんですね」

一人っ子のわたしに兄弟の感覚というのは分からなかったが、彼らのような間柄だったら、兄や弟を持ってもきっと楽しいだろうという気がした。

「うん。子供のころはよくケンカもしたけどね」

「キクちゃんには、わたしもいろいろお世話になったんです」

あの子が他人の世話をするとは思えない、と笑って雪生さんは呟いた。

「今度は家にも遊びに来るといいよ。男ばっかり出入りしてるから、父さんがいつも嘆いてる」

「雪生さんは一緒に暮らしてるんですか?」

と尋ねると、彼は飯田橋に部屋を借りて一人で暮らしているのだと答えた。

わたしたちは話しながら丘を下った。いつの間にかキクちゃんたちはビールを飲み火を囲んで盛り上がっていた。

「父さん、夏生にはまだ飲ませるなっていつも言ってるのに」

雪生さんが眉を寄せると、夏生君は知らん顔で缶の中身を飲み干した。

「けど雪生、こいつは多分おまえよりも強くなるよ」

「そういう問題じゃないんだけどな」

「お兄ちゃんはそうやってすぐに学校の先生みたいなことを言うから、女の子に嫌がられるんだよ」

そう言ってキクちゃんは二つ目のビールの缶に手を伸ばす。川の流れる音に笑い声が乗って、高い夜空まで響いていた。今この瞬間をさっきの丘からながめれば、わたしたちも同じ幸福の一群に見えるのだろう。

「そうだ、野田さんにもらってもらえばいい。野田さん、雪生のこといらないかな？今ならキャンプ道具もつけるよ」

わたしが困って曖昧に首を振ると、キクちゃんが顔をあげて

「そういえば付き合ってる人なんているんだっけ?」

そう訊かれたので、今度ははっきりと首を横に振った。たたみかけるようにキクちゃんのお父さんが
「それじゃあ、もうほかに好きな男がいるんだろうね」

そんなものです、とわたしは答えた。とっさにサイトウさんの顔が浮かんだことがくやしくて、ビールの缶に手を伸ばした。

少しほてった体に冷たい液体はすっと落ちていった。軽く泣きたくなって空を仰ぐと、今にも降ってきそうな星空が広がっていた。


サイトウさんについて語るのはちょっと難しい。わたしが客観的に見ていたころの彼とその後の主観に浸された彼は、双子の兄弟みたいにそっくりな別人に思える。

サイトウさんはわたしが通っていた予備校の先生だった。大手のところと違って生徒は地元の子たちが中心だったので、アットホームな雰囲気だった。

初めて彼を見たとき、小学生のころに仲の良かった理科の先生に似ていると思った。それで親近感がわいて何度か話しかけているうちに、ほかの生徒よりも少しだけ親しくなったのだった。

授業の後で質問をしがてら彼と雑談していると、古い映画や本の話でよく盛り上がった。

わたしの趣味は同年代の友人が好むものとはだいぶズレていたので、彼と話をしているのは楽しかった。年齢差があって相手のほうが年上だと、こちらが子供扱いされてしまうのはどうしても仕方のないことだが、彼はそういうのを抜きにして対等に話をしてくれる数少ない大人だった。

ただ、それはべつにどうにかなりたいという種類の感情じゃなかった。面倒な予備校通いが少し楽しくなる、そんな程度だった。それに、彼には少し年上の奥さんがいたのだ。

そんな彼が離婚したという噂を耳にした。

夏期講習の合宿中に泊まった部屋で女の子の一人が口にしたことだった。小さな予

備校の中では先生のプライベートに関する話題までけっこう筒抜けで、出所は不確かなのに、なぜかどの噂も当たっていることが多かった。

サイトウさんは以前とまったく変わらない顔で皆の前に立ち続けていた。テストの最中にボールペンを握ったり放したりしながら教室を監視しているときでさえ、感傷に浸っているような様子を見せることはなかった。

むしろ前よりも元気そうだと笑う皆の横で、無理をしているだけじゃないかな、と言いかけて、やめた。代わりに書き込みだらけのテキストを広げて、彼が熱心に解説をしていた問題を目で追った。サイトウさんの手の甲にはホワイトボードに擦れた際のマジックの跡が残っていて、プリントを配るときによく目についた。

その夜は皆が帰った後で、模試の結果が悪かったわたしは一人で残ってサイトウさんに質問をしていた。窓の外は強い風が吹いて、街路樹から銀杏の葉を振り落としていた。

駅まで一緒に行こうということになり、帰る支度をして彼と予備校を出た。人通りの少ない日で、わたしは買ったばかりの茶色いジャケットを着ていた。

終電近いプラットホームで、わたしたちはベンチに腰掛けて昨晩見たニュースの話かなにかをしていた。わたしが乗る電車は彼の電車とは同じホームの反対側だった。静かなプラットホームを揺り起こす音がして、強い光が近づいてくる。

今夜の夕飯はなんだろうと考えてから、前よりも少し痩せたサイトウさんの横顔を見た。

「ちゃんとごはん食べてますか?」

そう尋ねたら、彼は困ったように笑いながら曖昧に頷いた。

「コンビニのお弁当とビタミン剤だけじゃあ、すぐに体を悪くしますよ」

「俺のことなんか心配しなくていいから自分の心配をしなさい」

打ち切るようにそう言って、滑り込んできた電車のほうを見た。

「いつも思ってたけど、本当は無理してませんか? 一人になると急につらくなったりしませんか」

思わずそう言ってしまったら一瞬、彼は心の底から当惑したような顔でこちらを見て、君は、と言いかけてから結局なにも言わずに、やっぱり家の近くまで送ると告げ

て電車のほうを指さした。

乗り込んだ電車の中はとても混んでいて、サイトウさんのスーツのボタンがすぐ顔の前にあった。茶色くて大きくも小さくもないボタンだった。彼はずっと黙り込んでいたが、いっせいに乗客が押されるようにして大きく揺れたときに足元がふらついたのを支えるように右手でわたしの背中を抱いた。

一瞬、どういう反応をすれば良いのか分からずにうつむいた。結局、駅に到着するまで彼の手はわたしの背中にずっと触れたままだった。

電車を降りた後、改札へ流れていく人の波に逆らってホームに立ち尽くしたわたしを、サイトウさんは黙ったまま見つめていた。お互いに途方に暮れているのが分かった。

彼の右肩ごしには、細い月が真っ黒な夜空に浮かんでいるのが見えた。

その夜は帰宅が二時間ほど遅れて、心配と怒りを抱いて待ちかまえていた母から靴を脱ぐ間もなく叱られたが、なに一つ理由を説明することができなかった。

サイトウさんと一緒にいるようになってから、楽しいこともあったけれど、いつも

洗い流せない疲れを心のどこかに感じていた。彼の離婚の理由は奥さんの心変わりで、彼女が出ていく間際に、あなたと一緒にいると疲れる、とサイトウさんに告げたという話を聞いたときにはあんまりだと思ったが、今ではその気持ちが分かる。

それは彼がふとした拍子に見せる攻撃的なものの言い方や神経質な性格が原因ではなくて、もっと奥のほうに抱えた強い不安が一番身近な人間の心を容赦なく揺さぶるからだった。そばにいると苦しくてたまらないのに、離れようとすると大事なものを置き去りにしているような気持ちになった。

いろんなことを見ないふりして彼のそばにいようとした。そうしたら次第に感情が不安定になって、一睡もできない日が続くようになった。食欲も落ちて食べた後でたまに吐くようなこともあり、受験のストレスではないかと心配する両親にはなんでもないと首を横に振ったが、サイトウさんには見破られてしまった。

最後に彼の部屋で会ったとき、わたしは暖かい紅茶を飲んでいた。彼はそんなわたしをじっと見つめた後で、最近ちょっと痩せたようだし様子がおかしい、と落ち着いた声でそっと問い詰めた。

わたしは表情を強ばらせて目をそらした。

少し間があってから、ふたたび同じ質問をくり返された。もう仕方がないと覚悟してここしばらくの状態を話した。体調の不振がちょうど彼とわたしが深く付き合い出した時期に重なっていることは明らかだった。

彼はすべて話を聞き終えてから、台所の戸棚から白い錠剤の入った瓶を持ってきてわたしの手に乗せた。とりあえずはこれを飲むようにと告げて。

そして、それを飲み終えたら駅まで送って行くからもうここへ来てはいけないと言った。

「大変な時期に、君を混乱させて本当に悪かった。勉強のほうは最後まで面倒を見るからあきらめずにがんばってほしい」

なんで別れ話をしているときに勉強という言葉が出てくるんだろう、もう馬鹿みたいだと思いながら泣き笑いしてしまった。そんなわたしをなだめながらも彼の意志は変わらなかった。

駅までの暗い道を彼と一緒に歩いた。とても長い時間をかけて、抵抗するような言

葉を少しずつ口にしながら。それでも頭の中ではすでに手遅れだと冷静な自分が言っていた。ムダなことだと分かっていながら喋り続けた。

券売機の前でふたたび泣きそうになったわたしの手をひいて、サイトウさんは定期で改札を通った。それから駅のホームへむかう階段を下りた。すでに電車を待つ乗客は少なかった。

わたしはそっと彼の手から離れて、もうじき電車が来ることを告げる信号機の鳴っているほうを見た。赤いランプが暗闇の中で点滅していた。

「ここで別れたら、もう会うこともないのでしょうね」

お互いがものすごく近い場所にいたくせに、なぜか強くそう思った。会えばふたたび心が揺り動かされる。離れて落ち着けばもとに戻れるような関係性ではないと感じた。

返事がないことに気付いて振り返ると、サイトウさんは出会ってから初めてわたしを憎むような目をして、どうして、と低い声で呟くと
「どうして君はそういうことを言うんだ」

静かにそう言った。苦しそうな表情がかすかに泣いているように見えたのは、あるいは光の加減でまったくの気のせいだったのかもしれない。電車の中で一人になってから、暖かい車内と明るい蛍光灯の光に、なにもかもが嘘だったような思いで息を吐いた。

それ以来、サイトウさんには会っていない。

心のどこかで、新しい生活が始まれば彼のことなんてあっと言う間に忘れてしまうだろうとタカを括っていた。

けれど実際は、未だ、あのころの夢に捕まったまま途方に暮れている。

夕暮れに冷たい素麺と煮物を食べた後、深夜のバイトにそなえてクイズ番組を見ながら休んでいたらインターホンが鳴った。

どちらさまですか、と魚眼レンズをのぞいて尋ねたら

「あの、加世はいませんか?」

同い年ぐらいの男の子がドアの前に立っていた。

「前に住んでいた方だったら、引っ越したみたいですよ」

加世ちゃんに指示されたとおりの台詞を口にしたら、つかの間、驚いたように沈黙してから、あきらかに落胆した様子で彼は帰っていった。

何度も別れたいと言ったのに週末にはかならずやって来てドアごしにやり直したいと懇願するのだという話をしたとき、加世ちゃんの顔には迷惑そうな表情しか浮かんでいなかった。しかも彼は片道一時間かけて電車に揺られてくるのだという。

傍から見たらたしかに馬鹿みたいで迷惑だけど、きっと彼はまだ混乱の中にいて、彼女の気持ちが消え去ってしまったということが分からないのだろう。

未練の残る足取りでアパートを離れていく彼の姿を窓から見ながら、ちょっとだけ淋しい気持ちになった。

わたしはアパートのベランダに出て、鉢植えから踊るように蔓を伸ばしていた朝顔に水をやった。小学生のころはだれよりも先に枯らした朝顔はこの部屋に来てから購入した。今では水彩絵の具で色づけしたような紫色の花がたくさん咲いている。

しゃがみ込んでいるうちにヒザの裏に汗がたまってきて、わたしはシャワーを浴びるために部屋へ戻った。

週末のバイト先はいつも終電を逃したお客でにぎわっている。とくにオレンジ色のプラスチックのメガネをかけた同い年ぐらいの女の子と、少し体の横幅が広い背広姿の男性、この二人は一ヵ月前に作ったサービススタンプがもうすぐいっぱいになる。女の子のほうはかなり頻繁に来店するものの、普段はなにをしている子なのか分からなくて不思議な存在だった。

使用後の灰皿やコップを洗っていたら、店長がとなりにやって来て

「野田さん、あのメガネの女の子がなにをしてるのか分かったよ」

わたしが少し興味を示して顔をあげると、自慢そうに店長は薄くなった髪を撫でた。

「あの子ね、プロの少女漫画家なんだって。先週も来たときに谷口君が話しかけて聞いたらしいんだよ」

小声でペンネームを聞いたが、わたしは知らない名前だった。サインをもらって彼女の作品の専用棚を作ろうかと提案してきたので
「放っておいてあげましょうよ」

わたしはそう言って濡れたコップを拭いた。店長のメガネはかすかに曇って表情が消えている。

思わず手に握った布巾と彼の顔を見比べていたら、店のドアが開いた。

「いらっしゃいませ」

そう言って顔を上げると、目が合った夏生君は、どうも、と仏頂面で軽く会釈した。

友達と一緒だった彼にわたしは二人分の伝票を打って渡した。キャンプへ行ったときに店のサービス券を渡して、良かったら遊びに来るようにと誘ったのである。

夏生君はジーンズに赤いTシャツという格好だったが、一緒にいる友達の男の子は制服を着ている。二人は店の奥の席へ歩いていった。

わたしがレジに立っていると、しばらくして、野田さん、と店長がいきなり囁くよ

うに耳打ちした。

「そんなに近づかなくても聞こえますよ。至近距離なんだから」

そう言いながら体を離すと、糸でつながれたみたいに離れた分だけまた近づいてきた。

「ああ、うっとうしい」

「え？」

「いいえ、こっちの話です」

「あの制服の男の子ってさ、知り合いなの？」

制服じゃないほうが知り合いだと答えたら、困るんだよねえ、と大して困ってなさそうな表情で彼は言った。

「制服姿で煙草なんか吸ってるんだよ。ああいうのって店の責任になっちゃうからマズイんだよね。だけど最近の高校生ってすぐに逆上するっていうし」

そんなことだから竹ボウキで叩かれるのである。面倒くさくなって、わたしが注意してくると答えてレジを出た。

夏生くんの友達はちょうどセブンスターの箱から新しく煙草を取り出したところだった。
そっと肩を叩いて
「あのさ、煙草は吸っちゃだめだよ」
そう言ったら案外あっさりと、はい、と頷いてズボンのポケットに押し戻した。二人ともよく日に焼けていて、すでに骨格がしっかりしている。たしかに高校生に見えるな、と心の中で思った。
夏生君がふとマンガ雑誌から顔をあげて
「おまえさ、かっこつけて人前で吸うなよ」
そう咎めて眉を寄せた顔がお父さんにそっくりだったので、思わずじっと見つめてしまった。彼は戸惑ったように一瞬だけ視線をそらしてから
「今度、ねえちゃんが兄貴の車で横浜に遊びに行こうって言ってましたよ」
そっけない調子で言ったので、わたしは頷いた。ページをめくる夏生君の左腕には黒いダイバーウォッチがはめられている。

「夏生君はこんな夜遅くに来て平気なの？」

「親父は仕事仲間と飲み会です。街中をうろつくよりは野田さんのところに行けって」

「君は煙草は吸わないだろうね」

思わず保護者みたいな気分になって尋ねたら、バンドやってるんで、と小さな声で呟いた彼の言葉を聞いて、だから声を誉めたときに嬉しそうだったのかと納得した。

レジに戻ると、店長が破れた雑誌の表紙にセロハンテープを貼りながら
「最近の男の子ってけっこう素直なんだねえ」

なにごともなかったかのように感想を述べた。わたしはあいかわらず曇ったメガネを見ながら
「今日は帰ってプロレス見ないんですか？」

「今夜はなにもやってないんだよね」

聞こえなかったふりをして、濡れた雑巾とホウキを片手にふたたびレジを出た。

その翌日にはキクちゃんから正式に横浜への誘いが来て、雪生さんの休みに合わせた翌週の日曜日にわたしたちは出かけた。今度はキクちゃんと雪生さんとわたしの三人だけだった。お父さんは仕事で、夏生君はバンドの練習に夏休みのほとんどを費やしているのだという。

よく晴れた港は水面に光が散っていて、遠くから見つめているだけでも清々しい気持ちになった。キクちゃんは港のそばの遊園地へ行きたいと主張したが

「僕はあんまりジェットコースターとか得意じゃないから、二人が行きたいなら下で見てるよ」

「じつはわたしも苦手なんです。胃の浮く感じが気持ち悪くて」

その言葉でキクちゃんはすぐにあきらめたようだった。わたしたちはべつの観光名所をいくつか見てまわった後に、中華街へとたどり着いた。

わたしたちは中華料理屋で回転テーブルの席に座った。キクちゃんが手の届く距離にあるギョウザや酢豚をわざとテーブルを回して雪生さんのほうに寄せている。それから彼が箸を伸ばすと何度もしつこく遠ざけたりして、温厚な人柄を試すように遊ん

でいた。

「キクコ」

「私、お兄ちゃんの怒ってるところが見てみたいんだよね」

真剣な顔で呟いたキクちゃんの手をつかんで、ため息をついて雪生さんはようやく自分のほうにお皿を引き寄せた。

お店を出た後、路上で買ったふっくらと湯気のたつ桃まんを食べながらキクちゃんは妙なお面やチャイナ服を売っている雑貨屋に入っていった。

「僕はちょっと座ってるよ」

そう告げてから、雪生さんは店の正面にあった関帝廟の階段に座り込んで煙草に火をつけた。吐き出された煙はちりぢりになってすぐに淡い闇に消えた。

気をゆるめると、胸の中に満ちていた充実感はすぐにこぼれ落ちてしまう。せき止めるように、わたしも階段に座り込んだ。

中華街の喧噪の中で、わたしたちは疲れも手伝って無言になった。色とりどりの光が乱雑に交差していた。いたるところで立ちのぼる熱気が湿った夏の夜に溶けてい

く。

「だいぶ連れまわしちゃったけど、大丈夫だった?」

わたしは頷いた。サンダルに包まれた足は少し痛かったが、今夜はよく眠れそうだった。

「もしも明日とか予定が入ってるなら、はやめに切り上げようか」

「ありがとうございます。けど、バイト以外は本当に毎日ヒマなので平気です」

「大学の休みは長いからね。授業料の値段と通う日数がちっとも釣り合ってない」

まったくだと同意しながら、わたしはぼんやりと薄暗くなっていく空を見ていた。

普段はどんなことをして過ごしているのかと訊かれたので、本を読んでいることが多いと答えた。

「どんな作家が好き?」

「このごろ読んだのは現代作家がほとんどですけど、一番好きなのはテネシー・ウィリアムズです」

『ガラスの動物園』かと言われたので

「それも良いけど、『空色の子供たち』っていう短編が好きでした」

「うちに大学生のときに買った全集があるけど良かったら読む？」

喜んで読んだことのあるタイトルをあげると、雪生さんはそれ以外の作品が入っているものを貸してくれると言った。

まだキクちゃんは買い物中だろうかと店のほうを見たら、なにやら質問をされていたのにうっかり聞き流してしまった。あわてて聞き返したら
「前に好きな人がいるって。その人とは会ったりしないのかと思って」

雪生さんはそう言って、おだやかな笑顔で笑った。

「いいえ、あのときはそう言ったけど、ちょっと違うんです」

「え？」

「本当はもう終わっていて、わたしだけがまだ、どうすれば良いのか分かってないんです」

そんなことを喋っていたらふいに気持ちがゆるんでしまって、みっともないと思って堪えようとしても、さらに視界がにじんで耳の奥まで熱くなっていくのが分かっ

た。

雪生さんは心底あせったようにポケットに手を押し込んだが、なにも持っていないことに気付いて、手に持っていた煙草の火をわたしの目の前に近づけた。

わたしが思わず眉を寄せて

「なにをやってるんですか?」

目をこすりながら尋ねたら、彼は真剣な顔で

「赤い光には催淫効果があるっていうから、気分が落ち着くかと思って」

その一言にあっけに取られていたら、雪生さんは煙草を引っ込めた後、わたしの背中に手を伸ばして、ゆっくりと動かした。ワンピースごしに伝わってくる体温が暖かった。そのまましばらく背中をさすっていてくれた。

「無神経なことをきいてごめん」

真剣な顔でそう言って謝るので、わたしは首を横に振った。大きな紙袋を手にキクちゃんが店から出てきて

「なにやってるの?」

わたしの背中をさすっている雪生さんにむかって怪訝そうに尋ねた。

具合が悪くなったのだと答えてから、心配したキクちゃんにもう大丈夫だと笑って立ち上がった。

首を傾げながらも、彼女は紙袋の中から小さな桜色のものを取り出して差し出した。

「かわいかったからたくさん買っちゃった」

ちょうど手のひらの上にすっぽりとおさまるコブタのぬいぐるみだった。目が黒いビーズでできている。軽く握ると、感触がおもちのように柔らかかった。

「ありがとう」

すっかりおだやかな気持ちになってわたしは笑った。不思議そうな顔でわたしの目が赤いと指摘するキクちゃんには適当にごまかして
「そろそろ行こうか」

そう告げた雪生さんと一緒に駐車場までの道を歩き始めた。

生ぬるい風に乗って肉まん屋の店先から中国語の歌が流れてきた。

蒸し暑くて眠れない夜が続いた。キクちゃんはたびたび夜中に電話をかけてきてクーラーが壊れたという悲痛な叫び声をあげていた。そんな彼女に誘われて、渋谷の映画館にオールナイト上映を見に行ったときのことだった。

彼女一人ではどう考えても量の多すぎるキャラメル・ポップコーンを抱えて小動物のように口をもぐもぐと動かしながら

「だれにも取られる心配がない幸せを嚙みしめてるの」

兄弟の多い家庭に生まれた性(さが)について語っていた。

ずいぶんと古い映画だった。映画館の前に飾られた白黒のポスターを見て、最近、公開になったばかりの恋愛映画と散々迷った後で

「けど、こっちの映画は金獅子賞を取ってる」

そんなキクちゃんの一言で決まった。一度、レンタルビデオ屋でやはりベネチア映画祭の金獅子賞を取った作品を借りて見たらものすごくおもしろかったというだけ

で、彼女はこの賞に絶大な信頼を寄せているらしい。

もっとも映画はたしかに良かった。『ベニスに死す』を撮った監督の作品で、孤独の中で育った姉弟が近親相姦に陥る話だった。

子供のときに大人の恋をすると、その後も無垢な心には戻れない。

そんな意味の台詞を主人公の弟が発したとき、わたしは口の中でジュースの氷を砕きながら、それでは無垢な心とはいったいなんだろうかと疑問に思いつつも、その一言が妙に胸の奥に残った。

映画が終わってから、わたしたちは散らかった明け方の渋谷を歩いた。

途中のコンビニでモスコミュールとジンバックの瓶を一本ずつとプロセスチーズを買って、歩きながらチーズをかじるキクちゃんは白い夜明けの光の中でやけに冷たい目をしていた。

彼女が好きな人の話を聞きたいと言ったので、本当はもう終わってる話だけど、と念のために告げてからサイトウさんの話をした。少しアルコールが入っているせいでわたしはいつもよりも饒舌になっていた。

話を最後まで聞き終えた彼女は、左耳に光るガラスのピアスに軽く触った。それから真面目な顔で

「サイトウさんを手放して、後悔してる?」

そう訊かれたので、わたしは首を横に振った。

「後悔はしてないよ」

「まだ好きなの?」

わたしが答えずにいたら、今からその予備校へ行ってみようかとふいに言われた。

「いいよ」

懐かしさにアルコールも手伝って、わたしは判断力の鈍った頭で頷いていた。

しばらく電車に揺られて降りた駅前は少し様子が変わっていた。英会話教室や新しく出来た居酒屋のビルが立ち並び、まだ六時を少しすぎたばかりで人の通りの少ない駅前を抜けて、ひさしぶりに毎日のように通った裏道を歩いた。

古い灰色のビルが見えてきたとき、急激に感情の波が押し寄せてきて、泣き出すかと思ったのに実際は体の底から重たいものが込み上げてきた。

「キクちゃん、ちょっとまずい」

そう言って口を手で押さえ、あわてたキクちゃんに連れられて近くのコンビニでトイレを借りた。それからひとしきり吐いた。

キクちゃんは店内で冷たいミネラルウォーターを買って、トイレから出てきたわたしに手渡した。頭の中で弱った脳が揺れている。ミネラルウォーターが空っぽの体に吸い込まれていった。

ようやく息をついたわたしの背中をさすりながら
「重症だね」

キクちゃんがぼそっと呟いた。途方に暮れて彼女のほうを見ると、キクちゃんの頭上に青く透けていく下弦の月が浮かんでいた。


小学校三年の春休み、仕事の忙しさから来る不規則な生活が祟って父が胃潰瘍で入院したことがあった。

母は毎日のように病院へ通うことになり、ちょうど学校が休みだったわたしは祖父

母の家にあずけられた。

わたしの家から一時間ぐらい電車に揺られたところに祖父母は住んでいた。駅前にちょっと大きなスーパーとバスターミナルがあるだけで、後は数少ない商店とうっすら畑が広がっているような町だった。祖父母の家は大きな木造の一軒家で、広々とした庭ではじゃがいもとか里芋とか、とにかくイモと名の付くものが取れるという話だった。

わたしは夜遅くまで留守番しても良いから家にいたいと散々抵抗したものの、結局は赤いリュックサックを背負い、ほとんど泣きながら母に手を引かれて祖父母の家にたどり着いた。

両親が共働きだったので一人で家にいる時間が長かったわたしは、自分の家というものに執着のある子供だった。犬が自分の居場所に匂いをつけるように、手の届くところに気に入った本や小物があって、慣れ親しんだ空気の染み付いている空間が好きだった。

それはすべて自分だけで作り上げたもので、だから一人でいるときに淋しいという

感情はいつもあんまり湧かなかった。むしろ他人の空気が混ざると違和感を覚えて落ち着かない気持ちになった。

そのせいもあったのだろうか、ちょうどそのころは父が一軒家を購入して、ずっと住んでいた町を離れて新しい家に引っ越した直後だった。初めての転校で新しい学校の新学期が近づいてくることにナーバスになっていたわたしはあまり眠れない日々が続いていた。ストレスがたまると真っ先に睡眠に影響する体質は子供のころからだったのだ。

そんなこともあって新しい家に一人で置いていくのは心配だというのが母の判断だった。

けれど雑音だらけの生活に慣れていたわたしの目は静かすぎる夜の中でよけいに冴えてしまった。

早々と眠ってしまった祖父母を横目に、わたしは布団を抜け出して玄関へ出た。祖母のサンダルを履いてドアを開けると、鮮明な星空が広がっていた。

玄関の明かりに何匹もの羽虫が集まってきたので、わたしはあわてて電気を消し

た。

なんの音も聞こえなかった。ほとんどの民家は明かりが消えて、ただ暗くて広いだけの夜の中にいた。どうしようもなく家に帰りたかった。畑のむこうで電車の走り去っていくかすかな光が見えた。

足音がして振り返ると、わたしを探して祖母が階段を下りてくるところだった。風邪をひくから中に入るようにと告げる祖母の言葉にためらっていると、もっと遅くなったらボウソウゾクがうろつき始めるんだから、と言われた。

暴走族というものがよく分からなかったわたしがきょとんとしていると、祖母は猫の子みたいにわたしの体を後ろからさっと抱きかかえて家の中に連れ戻した。

それから毎晩のように、こりないわたしは家の外へ出て景色をながめていた。雰囲気の違う家の中よりも真っ暗な夜のほうが懐かしさを感じさせる、家へと導いてくれる匂いがした。夜の気配はそんなふうにひっそりと、わたしのとなりに誰よりも親しい友達みたいに寄り添っていた。

予備校の後に立ち寄ったサイトウさんの部屋で、ベランダから洗濯物を取り込む彼

の姿を見ていたとき、なぜか、そのころのことを思い出した。部屋のテレビでは感動の再会とかなんとかいう番組をやっていた。カップに熱いコーヒーをそそぎながら、彼はわたしに、どうして君の好きな英米文学や芸術方面ではなく心理学を学ぼうとするのか、と尋ねた。

「子供のころの不自由だった感覚とか、意味もなく不安だったことを今でもよく思い出します。けど、自分では上手く言葉で説明できなくて、苦しかった。そういう感覚をただ覚えているだけじゃなくて、なにか役に立てることができたらいいなあ、と思って」

将来はどうするつもりなのかと塾の先生らしいことを質問してきたので、わたしは彼のほうをむいた。

「スクールカウンセラーとか、そういうのが良いな。教室にいるのはつらいっていう子供がここならなんとか来れるっていう空間を作れたら、もうそれで十分ですね」

そう答えたらサイトウさんはすごく嬉しそうな顔をした。わたしが見たかぎり、あの人があんなに嬉しそうな顔をしたのは後にも先にも一度きりだ。

なんだか自分の子供を見るような目だと思っていると、彼がふいに、自分の両親はあまり良い親ではなかったという話をしてくれた。サイトウさんの子供時代の話を聞くのは初めてだった。

かすかに眉を寄せて昔の話をするサイトウさんの横顔は大人じゃなくて感受性の強すぎる少年のようだった。わたしは彼を見ているうちに、『ブリキの太鼓』という、自分で自分の成長を止めてしまった男の子が主人公の映画のことを考えていた。

話し終えた彼にむかって、そんなに深刻にならないようにと笑いながらテレビを消したとき、背後からおおいかぶさってきた体につかの間、息がとまりそうになった。使いかけの化粧水、枝毛を切るためのハサミ、現像に出されていない写真のフィルムが積み重なった本棚を見上げながら、わたしはぼうぜんと首筋に彼の冷たい肌を感じていた。

彼の部屋で夫婦生活の残骸をのぞき見てしまうこと自体は仕方ないと思っていたけれど、片付ける気力のないサイトウさんには希望を見いだせないでいた。抱きしめられた腕の力が強すぎて少しだけ怖かった。

サイトウさんはわたしのことが好きじゃないですね。そう呟いたら、そんなことはないと彼は答えた。

君のことは好きだ、そう告げた後により断定的な口調で、どういう種類の好きかは断言できないけれど君のことはたしかに好きだと落ち着いた声で続けた。

そんな一番肝心なところが断言できないなら触るなよ、と言ってしまいたかった。けれど実際はろくに返事もできないまま床に敷かれたモスグリーンのカーペットを両手でつかんでいた。

それまでは、あきらめが悪かったり不毛な関係だったり、そんな恋愛小説や映画を見ると自分には関係ないと笑っていた。理解できないのは経験がないせいではなく、自分はそんな状態に陥る人間ではないからだと信じていた。

けれどあのとき、わたしは彼の腕の中で身動き一つ取れずに、果てしなく小さくなっていく自分を感じていた。

日曜日の午後、ひさしぶりに家へ戻ると、よく晴れた庭の真ん中で父が白い木材に釘を打ち付けていた。

白いペンキが塗られた廃材は近くの工事現場でゆずってもらったものだろう、父は退屈するとすぐに大工仕事に走るのだ。

「なにを作ってるの?」

玄関にカバンを置いてから庭のほうへまわったわたしは、たくさんの白いペンキをつけた父の手元を見て尋ねた。

「文庫本用の本棚だよ。おまえ、机の上に置けるような小さいやつが欲しいって前に言ってただろう」

それはおそらく一年以上も前の話だったが、父は当たり前のようにカナヅチを打ちながら答えた。

「お父さんの日曜大工も踏み台から始まって、少しずつ進歩してるねえ」

狭い庭では朝顔やシロツメクサがぎっしりと生い茂って好き勝手に揺れている。父の額からはとめどなく汗が流れ落ちていた。

本棚作りはすでに佳境に入っていて、仕上げに丁寧にニスを塗ると、父は軒下の日蔭に出来上がった本棚をそっと置いた。少しいびつではあったけれど、頑丈そうな本棚だった。

「そういえばお母さんは？」

同窓会に行ったと父は答えた。

「もらいものの冷や麦があるから、それでも食べるか」

わたしがゆでると申し出て台所へむかった。洗面所で顔を洗う音が聞こえる。それから父は寝室へ行って、汗に濡れた白いシャツから少しくたびれた感じの紺のラルフローレンのポロシャツに着替えてきた。

すだれのかかった和室のちゃぶ台に冷や麦とナスの漬物を運んで、わたしたちは氷でよく冷えた麺をすすった。部屋は気持ちがよい程度に薄暗かった。

かすかに風が吹いてすだれに遮られた光が隙間からこぼれると、父の体毛の薄い腕や落ちくぼんだまぶたを一瞬だけはっきりと映し出した。

「一人には慣れたか？」

「うん、いつか一人で暮らすときのシミュレーションをしてるみたい。良い機会だよ」

父はひとり言のように、そうか、と漏らしてから、麦茶の入ったコップに口をつけた。

「おまえも、なんていうか、いろいろ大変だったからな」

気まずい空気は変わらないけれど、気を遣おうとしてがんばってくれている父の言葉が少し嬉しかった。わたしは首を横に振った。

「迷惑かけてごめんなさい。お金だってまだ全額は返してないし」

父も首を横に振ってからナスの漬物をかじった。

「ちょっとからいな」

「お母さん、濃い味が好きだからねえ」

「母さんとも話したんだけど、うちは二人とも忙しくて、おまえは子供のときからずっとなんでも一人でやらなきゃならなかったからな。迷ったときとか、頼りたいときにどうすればいいのか分からないところがあるんだろう」

正座に疲れた足の裏がそわそわする。そっと足を崩すと、伏せた父の顔が少しだけはっきりと見えた。

「けど、どうしても一つだけ気になってることがあるんだよ」

わたしは漬物に箸を伸ばしながら、無言で続きを促した。ナスはたしかに少しからかったけれど、市販のものとは違う素朴な味がした。

「おまえ、本当は父親がだれか分かってたんだろう」

黙っていると、父はまっすぐにわたしを見た。

「分かっていて隠したんじゃないか?」

「あのとき話したことがすべてです」

そう言い切って箸を置くと、彼はもうそれ以上はなにも言わなかった。


食事を終えた後で、父は本屋へ行ってくると告げて家を出ていった。

わたしは冷たい畳の上に横たわって頬を押しつけた。扇風機の風がワンピースの裾を小さく波立たせている。

サイトウさんの部屋で寝転がっていたわたしの足を踏んだサイトウさんの踵が硬かったこと。

そんなことを思い出すだけで欲望は薄い心臓の膜をやぶって深い川のようにあふれ出す。

まぶたを滑る汗を拭い、天井を仰ぎながら目を細めると、砂漠でキャラバンを待っているような気持ちになった。

それなのに、どうしてだか分からない、一つだけ妙な確信を胸の奥に抱いていた。今度、サイトウさんに触れることがあれば、きっとわたしは死んでしまうだろう。比喩ではなく、大袈裟でもなく、真綿でゆっくりと首を絞められるように息が詰まってわたしの体は失われ、冷たい墓石の下で粉々の遺骨になるだろう。

そんなことはまったく望んでいなかった。わたしはようやく落ち着いた生活をこのまま守りたかったし、いつか暗く停滞したこの気持ちから抜け出せると信じていた。

横浜へ行ったときに貸してくれると言った本を受け取りに、雪生さんが勤めている区役所まで行った。

朝食の支度をしているときにうっかりグラスを割ってしまい、加世ちゃんへのおわびの品を買うために新宿の雑貨屋にいたときだった。似たようなものを捜しまわって疲れたので、つい売り物のソファーに座って和んでいたら、雪生さんから電話がかかってきた。

キクコに勝手に番号を教えてもらったけど、まずかっただろうかと訊かれたので、そんなことはないとわたしは言った。帰りに車で本を届けると言われたので、貸してもらうほうが取りにいくのが正しいと答えて五時に区役所の前で待ち合わせをした。

約束の十分前にバスは区役所の前に到着した。まだ空が明るい夕方の中、バスを降りると地面に自分の淡い影が落ちた。

入ってすぐのホールは広くて天井が高かった。もうすぐ閉まる時間だというのに一階の戸籍係の受付では、まだ何人もベージュ色の布張りのイスに座って待っている人がいる。

年配の人が多い中に若い女の人が一人か二人ほど混ざって本を読んでいた。

そのうちに、もう閉まる時間だと警備員の人に告げられたので、建物を出て外の駐車場で待っていたら、紺色の背広を着た雪生さんが現れた。

普段着のときにはやけに大学生風だと思っていたが、こうやってスーツ姿だと年齢相応に見える。こういう人、たしかに区役所の受付に一人はかならずいるなあ、と考えていたら、茶色い紙袋を手渡された。

よかったら夕食を一緒にどうかと誘われたので、家を出るときにごはんのタイマーをセットしてきてしまったと答えた。

「それじゃあ、この次に本を返してもらうときにでも」

わたしが頷くと、彼は持っていたカバンから茶色い革のカードケースと黒いボールペンを取り出して、白い名刺の裏に自宅の番号を書いた。

「読み終わったら、その番号に連絡してくれればいいから」

わたしは頷いて名刺を受け取った。当たり前だが、名刺に書かれたキクちゃんと同じ名字を目にしてちょっと新鮮な気持ちになった。

帰りにスターバックスで長い名前のコーヒーを飲みながら、受け取った名刺を見た。きっと丁寧な字を書くのだろうという先入観を打ち砕く、右上がりの不格好な数字が並んでいた。ただ、乱暴に殴り書きしたというよりは、きれいに書こうとしたけど書けなかった、そんな親近感を抱かせる字だった。

アパートへ戻ると、近くのマンションの屋上がなにやら騒がしかった。沈みかけた夕日に目を細めながら見上げると、たくさんの人が手摺りに寄りかかって喋っているのが見えた。

ぼんやりと見上げていると、通りかかった同じアパートの女性にあいさつされたので

「あれはなにをしてるんでしょうね」

指さして尋ねると、今日は大きな花火大会があるからだろうと言った。

わたしは部屋に入ってから、豚肉とキムチを軽く炒めて炒飯と卵スープを作った。

窓を開けて、炒飯を食べながら夕焼けが夜の中に消えかかった空を見上げる。家の屋根や小学校の校舎に遮られているものの、どうにか花火が見えそうだった。

空がようやく暗くなると、遠くのほうで太鼓を打ち鳴らすような重い音が響いてきた。

同時に、空の片隅に打ち上げられた花火が小さく光った。

食事を終えてリンゴ味の缶チューハイを飲みながら、わたしはずっと窓の外を見ていた。

花火は色を変えて、形を変えて、何度も空に降っていく。

わたしは電話を持ってベランダへ出た。キクちゃんに電話をかけると、何度も呼び出し音が鳴り響くものの、彼女が出る気配はなかった。

電話を片手に立ち尽くしながら、深く息を吸って、覚えていた番号を押した。

今頃はきっと授業中だろう、電源が切られていてすぐに留守番電話サービスセンターに切り替わった。

メッセージを吹き込むか否か、ぎりぎりまで迷ってから、やっぱり吹き込むことにした。

「いまベランダから花火を見てました。すごくきれいです、終わる前にもし気がつい

たら見てください」

喋った後で、はっと我に返って、わたしはすぐに録音したメッセージを取り消した。

結局、相手の電話にはなにも残らないまま終わった。

ベランダの手摺りは握ると少し熱かった。マンションの屋上から笑い声が聞こえてくる。

あんなにきれいだと思った花火はすぐに見慣れて、おなかの底に響く重い震動だけがいつまでも体に残っていた。


さっき電話した、という声を聞きながら起き上がった。部屋の明かりはついたままで、電話を片手に鏡を見ると、頬にクッションの跡がついていた。

「ごめんね、映画館の中にいたから」

「こっちこそジャマしてごめんね。大した用事じゃなかったんだ」

「いや、私は嬉しいな」

急にきっぱりとした声でキクちゃんが言ったので、少し戸惑ってどうしたのかと聞き返したら
「だって野田ちゃんっていつもこっちが誘わないと連絡してこないから。一緒にいるときはそんなことないのに、いったん顔を合わせなくなると、まるで最初からいなかった人みたい」

左手で触れていた床が濡れていた。テーブルの上に置いてあった缶チューハイから水滴が落ちて広がっていた。

雑巾を探していると、今から遊びに行っても良いかと訊かれて
「だれかと一緒だったんじゃないの?」

「一緒だったけど、つまんないから置き去りにして帰る」

けっこうひどいことを言った。わたしは駅から来るときのアパートへの道を告げた。

キクちゃんは冷たい果物のゼリーをたくさん手土産に持ってきた。フタを開ける

と、ぶどうの果肉の良い香りがしていた。

「この部屋の人っていつ戻ってくるの？」

部屋の中を興味深そうに見回しながらキクちゃんは言った。

「あと二週間ぐらいかな」

答えてから壁にかかったカレンダーで確認した。気を抜くと今日が何日なのか分からなくなってしまう。

床に積み重なっていた分厚い本を見たキクちゃんが、あれ、と言いながら手に取って
「これってお兄ちゃんの本だよね。いつ会ったの？」

「今日貸してもらったんだ。横浜へ行ったときに約束してたんだけど」

頷きながらキクちゃんは軽く本を開いたかと思うと、眠くなるぞ、と呟いて閉じた。

「それはお兄ちゃんから聞いた。野田ちゃんに渡してほしいって頼まれたから、それぐらい自分でやりなさい、って叱ったんだよね」

喋りながら彼女が腕にとまった蚊をじっと見つめているので
「キクちゃん、なんで潰さないの?」

思わず眉を寄せて尋ねた。

「蚊だって立派に生きてるのにかわいそうだから」

そして飛び立とうとした瞬間、えい、とたたき潰したのでわたしはあっけに取られた。

「痛み分け」

わたしは無言で薬箱を取り出して彼女にかゆみ止めを渡してあげた。ふと気がつくとわたしの足まで刺されていた。つんと鼻を突くかゆみ止めの匂いを二人で嗅ぎながら
「お兄ちゃんも親切心なんだか、ちょっとは期待があるんだか、よく分からないな」

「根っからの親切心っていう雰囲気だったよ」

「そんなふうに見られるから、いつもなかなか進展しない。良い感じで進展したと思ったら横からさらわれる。前に付き合ってた女の子なんか友達に持っていかれたんだ

よ」

　返答に困りながらも、ちょっとそういう雰囲気はあるかもしれないと考えていたら
「野田ちゃんはお兄ちゃんのこと、どう思う?」

　キクちゃんが真剣な顔で尋ねた。

「どうもこうも」

　そう呟いて顔をあげた。今日のキクちゃんは胸の大きく開いた淡い水色のワンピースを着て、髪を一つにまとめている。左耳の少し上あたりにビーズの髪飾りをつけていた。

「キクちゃん、もしかしてデートだったの?」

「まあね。けど、渋谷で歩いてた女子高生の子たちを見て、体を売るような若い女の子はみんな孤独なんだ、なんてくだらないこと言うからレストランでトイレ行くふりして帰って来ちゃった」

　うんざりした顔でキクちゃんは自分の首を撫でながら言った。

「そういう分かったようなことを言ってる人が一番分かっていないっていうのは、自

分で気づかないものなの？」

「気づかないんだろうね」

キクちゃんは扇風機の風を自分のほうにむけると、鼻先を子猫のように近づけ、今日は泊まっても大丈夫かと訊いた。

「大丈夫だと思うけど、念のためにちょっと持ち主に電話してみる」

わたしはひさしぶりに加世ちゃんの携帯電話に連絡をした。

電話の向こう側では大音量でテレビが喋っている。加世ちゃんは負けないぐらいの大きな声で、ひさしぶり、と笑った。

「なにか困ったことでもあった？」

「あのね、友達が泊まりたいって言ってるんだけど、いいかな？」

高校のときの友達だと説明しようとしたわたしの言葉を遮って
「火事が起きたとき以外はいちいち連絡しなくても、自分の判断でかまわないよ」

あっさりと言われて電話を切った。となりで漏れてくる会話を聞いていたキクちゃんが

「ずいぶんアバウトな子だねえ」

めずらしく驚いたように言った。

二人分の布団はなかったので、床に冬用の掛け布団と毛布を重ねて敷いた。キクちゃんは手足を伸ばして、しばらく布団の上でごろごろと寝返りを打ってから
「私、迷惑じゃないよね?」

ふいにこちらを見上げて言った。真剣な顔だった。唐突にこういう顔をしたときのキクちゃんは、その視線がむけられた相手を彼女の恋人みたいな気持ちにさせる。

「全然。迷惑なんかじゃないよ」

「けどね、野田ちゃんはきっと簡単に他人を好きになったりしない人だと私は思うんだ。

だからよけいに一度好きになると、今度は簡単に嫌いになれないんだよ」

「けど、わたし、キクちゃんのことは好きだよ」

まいったな、と言って彼女は枕に顔を埋めた。ワンピースがシワになると言って注意したら、洗ってアイロンをかければ元通りだと笑った。わたしは自分のカバンから

Tシャツとズボンを取り出して渡した。

「ところでキクちゃん、一つだけ気になってたことがあるんだけど」

なあに、とワンピースを脱ぎながら彼女は振り返った。小柄な彼女の背中は、わたしよりもずっと白くて小さかった。

「野田ちゃんっていう呼び方、できればやめてほしいんだけど」

そう頼むと、彼女は少しだけ眉を寄せた。

「どうして?」

「なんとなく恥ずかしいっていうか、違和感があるんだよね」

「分かった。途中から呼び方を変えるって難しいんだけど」

「お願いします」

キクちゃんは頷いた。しかし実際には、彼女はわたしの下の名前を間違えて覚えていた。

そして結局、翌朝も近くの洋食屋でオムライスを食べながら

「野田ちゃん。ここのオムライス、おいしいね」

そう言ってにこにことクリームソースのかかった卵をすくっていた。

サイトウさんのことで、一つだけ気になっていたことがある。

生徒だったわたしを彼は当然のように、野田さん、と呼んでいたが、初めて泊まった翌朝に、そろそろ二、三本の白髪が混じり始めた髪を梳かしながら唐突に下の名前を呼び捨てにした。

わたしは壁に寄りかかってミルク入りのダージリンティーを飲みながら、こういう感覚の違いをジェネレーション・ギャップと呼ぶのだろうかと、起きぬけのぼんやりとした頭で考えていた。

本を返すときにわたしがキクちゃんの話を思い出していたら、雪生さんはきょとんとした表情で

「気のせいかもしれないけど、なんだか今日は野田さんの目付きが鋭い気がする」

そう呟いた。区役所のそばの小さなベトナム料理屋は、よく見ると壁がひび割れたり天井に直した跡があったけれど、エスニック雑貨で統一された店内は風通しが良くて涼しかった。あまり暑い日ではなかったので、クーラーはついていなかった。

薄い黄色のテーブルクロスの上に運ばれてきたお皿が載って、わたしたちは箸を手にした。

「今度の休みには、キクコがまたどこかへ行こうって」

相槌を打ちながら、たしかにわたしはあまり自発的に他人を誘うわけではないが、彼らは逆に誘うのがとても好きなほうだと考えていた。

「なんだか雪生さんがお父さんみたいですね」

自分でもそう思うと言って笑った。箸を持つ手の先は細く、中指に少しペンダコができているものの、細かい手作業が得意そうな指だと思った。

「うちの父親もヒマなはずなんだけどなあ。夏はあんまり引っ越す人がいないから」

透明な温かいスープに浸かった汁そばを食べながら、そうか、キクちゃんのお父さんは引っ越し屋だったのかと納得した。

会計のときに、店員から渡されたガムを渡すついでのように
「今週の日曜日は空いてる?」
唐突に訊かれたので、ちょっと考えてから頷いたら、一緒に出かけてほしいところがあると言われた。
帰りのバスの中で言われた日時を手帳に書き留めながら、意味があるようでないようでやっぱりあるのだろうかと迷っていた。揺れる車内で書いた小さな文字が少しゆがんでしまった。

ここ一週間ぐらい店長の姿が見えなかったので、交替のときにフリーターの谷口さんという人に尋ねたら
「店長、食中毒で入院したんだって。腐ったエビかなにか食べたらしいよ」
谷口さんは嬉しくも悲しくもなさそうな表情でそう告げた。横浜の国立大学を中退した彼がこのマンガ喫茶で働き始めてから三年が経つという。重要な仕事の大半は彼がこなしていた。

「俺、このまま、この店の店長になれないかなあ」

ぼそっと小さな野望を呟いた谷口さんは、お見舞いに行く必要はないけれど連絡を取りたいときのためにと病院の名前を教えてくれた。

普段よりもちょっと忙しく働いているうちに約束の日はやって来たのだった。

その日の朝に、雪生さんは車で待ち合わせの駅まで迎えに来た。

わたしがぼんやりと立っていると目の前に黒い車が近づいて
「良かった、来てくれて。ありがとう」

そう言った雪生さんはいつもと違うメガネをかけていた。助手席に乗り込みながら、メガネのことを尋ねたら
「うっかり床に置いてたら、自分で踏んで壊しちゃって」

「危ないですね」

「僕はメガネを外すと本当になにも見えないから」

わたしはハンドバッグをヒザの上に置きながら頷いた。雪生さんの運転はおっとりとしている。無理やり強引に割り込んだりできないタイプで、流れていく速度の遅い

ていく。
景色を見ていると、いつもは車の中でかならず眠くなるのに、逆にどんどん目が冴え

「今日はどこに行くんですか？」

「渓谷に」

はあ、と困惑して聞き返したら、雪生さんはそんなに遠くないから大丈夫だと緊張した横顔で言った。

車は数十分ほど走ったところで、小さな駅のそばの駐車場でとまった。車を降りてからまわりを見回すと、立ち並ぶ樹木や神社のまわりにあまり流行っていない感じの店が数軒だけ営業している。

車を降りてから、昼食をとりにわたしたちは近くのお蕎麦屋に入った。店内では背中の曲がった男の人が一人でゴルフの中継を見ながらざるそばをすすっていた。

わたしは月見そばを、雪生さんはてんぷらそばを頼んだ。

「ちょっと田舎みたいな雰囲気ですね」

窓の外を見てわたしは言った。強い日差しがまぶしかった。

「一応は都内なんだけどね。学生のころ、サークルの仲間と一緒に来たんだよ」

「なんのサークルに入ってたんですか？」

「歴史に残っている建物や遺跡を散策して、帰りに飲みに行く」

「それって大半は史学科の生徒でしょう」

「いや、女の子が多かったから、理系の男子学生もけっこういたな」

おそばが運ばれてくると、わたしはめんつゆの中に浮かんだうずらの卵をそっと箸でくずした。

「冷たくておいしいですね」

「この辺りは都内で一番、水がきれいなんだよ」

雪生さんの真意はいまいちつかめないまま、とりあえず目の前の月見そばがおいしいことに感動していた。雪生さんは風通しの良さそうな薄いグリーンのシャツを着ていて、顔色がよく見える。

わたしたちは店を出てから、そのまま駅と反対の方向に少し歩いた。大きな橋が目の前に現れて、下をのぞき込むと、両側を台地に挟まれた谷間にきれいな川が流れて

いた。その流れにそって、うっそうと樹木の生い茂った道が伸びていた。

「すごいですね、緑が濃くて」

「下まで行ってみようか」

雪生さんの言葉に頷いた。わたしたちは橋の横から谷底へ続く石段をゆっくりと下りた。

樹木や雑草が揺れる道は濡れた泥がぬかるんでいて、あっという間にサンダルのつま先や踵を汚した。谷間から空を仰ぐと、細長い青空を鳥の群れが横切っていく。

太陽の光を濃い青葉が反射させて水面に散らばっていた。

わたしは途中で大きな岩の上に腰掛けて、汚れたサンダルを洗った。雪生さんが近くのコンビニで冷たい緑茶とアイスを買ってきてくれた。濃いミルク味が乾いていた口の中に溶けた。

「空気がいいですね」

「川の中、よく見ると魚がいるよ」

言われて水面をじっと見つめると、小さな影が横切っていく。

雪生さんも近くの岩に座ってお茶を開けた。うっすらとシャツからのぞいた鎖骨に汗がたまっていた。

「どうしてここに?」

つま先を水に浸しながら、わたしは尋ねた。ずっと塗り直すのを忘れていたせいで少し剝げたペディキュアも、水の中では淡いピンク色に光っていた。

「君が疲れてるみたいだったから」

「わたし?」

雪生さんは真顔のまま頷いた。

「僕たちの母親が肝臓ガンで死んだとき、夏生はまだ三歳で、僕は中学生だった。父さんは葬式の後ですぐに貯金をおろして、僕たちをタイのプーケット島に連れていったんだよ」

「唐突ですね」

「学校なんか一ヵ月は休んでも平気だと思ってる人だからね」

わたしは以前、欠席が多いことを担任に叱られたキクちゃんが同じ台詞を口にして

いたことを思い出して笑った。

「タイはおもしろい国だったよ。排気ガスなんかけっこうひどいんだけど、海に大きな日が沈んでいくのをホテルのレストランから見たときには感動したよ。現地の人達も、ヒマさえあれば仕事を休んで地面に寝転がってるようなところだった」

「そういう生活、ちょっとうらやましいですね」

「すごく時間の流れが遅いんだよ。あの旅行がなければ、きっと僕も父さんもキクコも、なかなかすぐには立ち直れなかった。夏生はむこうのホテルでもお母さんがいないってずっと泣いてたけど、三週間も海で泳いだりごちゃごちゃした夜の町を見たりしているうちに、なんとかうまく乗り切ったみたいだった」

　そこで言葉を切ってから、雪生さんはお茶を飲んだ。川の流れる音に蝉の鳴き声、葉のこすれる音がすべて重なって一つの音楽みたいに響いている。わたしはそっと息を吐いた。

「中華街で君が泣いてるのを見ていたら、急にそのときのことを思い出した。外国はちょっと無理だけど、どこか気持ちが休まるようなところへ連れていってあげたいと

思って」

返事に詰まったわたしは黙り込んだまま棒に残っていたアイスを食べ終え、洗ったサンダルの中に足を入れた。

「ただ、よけいなお世話だったらごめん」

話し終えてから、雪生さんはコンビニの袋の中からセブンスターを取り出して火をつけた。彼は喫煙者の中でもめずらしくおいしそうに煙草を吸う人だ。空いたお茶の缶を灰皿代わりにしている。

「わたし、そんなに疲れてるように見えましたか?」

思わず質問すると、煙を吐き出しながら雪生さんは少し笑った。

「一緒に話して笑っていても、いつもなにかべつのことに気を取られているように見えたよ。それに、なんだかあせってるようだった。キクコが、野田ちゃんと一緒にいると片思いしてるときの気分になるって」

そう言われてふいに、わたしのTシャツを着て眠っていたキクちゃんの子供みたいな寝顔を思い出した。

「子供をおろしちゃったんです」

そう言うと同時に雪生さんの手が伸びてきて、わたしの頭を撫でた。

「ごめん、本当はキクコから少しだけ聞いてた」

わたしは首を振った。隠していたわけではないのだ。

「好きな人がいたんです。その人と別れたら、自分でもそんなふうになると思わないくらい、壊れちゃったんです。気楽な男の子たちと適当にくっついたり離れたり」

「その男の子たちとはどうなったの?」

「みんな連絡を取らなくなっちゃいました。もともとそこまで親しい仲でもなかったから」

「キクコは、君が一番好きだった人の子供だったのを隠してたんじゃないかと言ってたよ」

みんな同じことを考えるのだな、と思った。ふたたび首を横に振った。

「父にも聞かれました。けど、それだけはないんです」

どうしてこんなことを話してるのだろうと思いながら、わたしは額にたまった汗を

ハンドタオルで拭った。

「同じ部屋に泊まったし、抱き合ったり、一緒におふろに入ったこともあったけど、その人とは、そういうことはしなかったから」

雪生さんの顔には少し困惑が降り積もっていた。彼は軽く首を傾けて

「それは、たとえばその人の身体的な都合からとか」

「わたしの年齢が気になるというようなことは言ってました。それに、いま寝たとしても、お互いが混乱するだけだって」

まあ、それは仕方のないことだと思っていた。わたしが出会ったとき、すでにサイトウさんは四十歳をすぎていたのだ。

「たぶん恋じゃなかったんですね」

わたしが笑うと、雪生さんはちょっと目を細めた。

「子供がいない夫婦が猫を飼うとか、恋人のいない女の子が大きなぬいぐるみを抱いて寝るとか。きっとあの人にとってのわたしはそんな感じで、恋と呼べるものじゃなかった」

水を吸い込んだ真綿のようにサイトウさんはいろんな不安を抱えすぎていて、強く触れるたびに混乱があふれ出す。彼を少しでも救うことができれば、一丁前にそんなことを思ったりもしたけれど、ひかれればひかれるほど、深みに足を取られていく自分を感じた。

「どうしてだかは分かりません。けど、とにかくわたしはあの人が怖かった。好きになればなるほど、あの人も自分も信用できなくなって。どんどん不安定になりました」

キクちゃんと雪生さんの話の聞き方はよく似ている。少し前かがみになって、上目使いにこちらを見つめる。ヒザの上で手のひらを組んでいた。

「君はたぶん、自分で思ってるよりも、まわりが思っているよりも、ずっと子供なんだと思う」

はっきりした声で雪生さんは言った。

「そうですね。後から悩んだり苦しんだりするのが分かってるのに、平気なふりをして」

「野田さんの子はきっと、そんな君を引き戻すためにいたんだよ」

雪生さんの言葉は嬉しかった。しかし、すぐにそう思うことは難しかった。

「ありがとうございます。けど、そんなふうに簡単に許されちゃっていいんでしょうか」

「君はムチャをするわりには罪悪感が強いんだね」

ふたたび雪生さんはわたしの頭を撫でた。この人は慣れているのだと、ぼんやりとした頭で実感した。こうやってキクちゃんや夏生君の面倒を見て生きてきたのだろう。

「変ですか?」

「変じゃないよ」

雪生さんはそう言って目を細めた。

「ぜんぜん変じゃないよ」

わたしがぼんやりと自分の頭上に伸びた手を見ていたら、彼は手をそっと離して、もう少し散歩してみようと言って立ち上がった。

日が暮れるまで谷間を歩いてから、わたしたちは車に戻った。夕暮れに流れていくヘッドライトが浮かび上がっていた。彼はわたしをアパートの前まで送ってくれた。
別れる間際に雪生さんは
「なにか困ったときや悩んだときには、自分だけで解決しようとしないで、絶対にだれかに頼るんだよ」
そう言い残してから車を走らせ、夜の中を帰っていった。

サイトウさんに奥さんがどんな人だったのかと尋ねたとき、彼はパソコンにむかっていた。黒いパイプイスの背もたれに寄りかかった背中が少し曲がっていた。

彼は作業していた手をとめて、メガネの奥で目を細めると
「他人からもらったプレゼントはどんなものでも使う人だった」

分かるようで分かりづらいと言ったら、曖昧に笑った。

部屋の中は暖かくて、寒い冬の夜を映し出した窓ガラスは曇っていた。

「ずっと一緒にいた人が、ある日、突然いなくなるってどんな気持ちですか?」

わたしはベッドに座って輸入雑貨のカタログを見ていた。ページを捲ると、大きなテーブルのところに赤いペンで印がついていた。

「死ぬかと思ったよ。ある意味では、一度、死んだのかもしれないけど」

はっきりとした調子で彼が言ったので、わたしは目を伏せた。

雑誌を閉じてからパソコンの横に立って画面をのぞき込み
「わたしの前からもサイトウさんがある日突然に消える可能性ってあるんですか?」

その質問にサイトウさんはすぐにいつもの捉えどころのない口調に戻って
「もちろんそういう可能性はあるよ」

あっさりとそう答えた。わたしは頷いた。

「だれにでも等しくあるものだろう」

「プリント作りって、あとどれくらいで終わりますか?」

もうちょっとかかると彼が答えたので、わたしは空になった彼のコーヒーカップを手に台所へむかった。

バイトへ行く前の空き時間にキクちゃんと待ち合わせをして、彼女が好きだという
お好み焼き屋へ入ったときに

「サイトウさんは普通のオジサンとは違ったの？」

イカのもんじゃ焼きを混ぜながら、キクちゃんは尋ねた。わたしは一体どこまで焼けばもんじゃ焼きが完成したことになるのかまったく分からないのだが、彼女はなんの迷いもなく鉄板からもんじゃ焼きをすくっている。

「いや、けっこう普通のオジサンだったよ。同世代の有名人とか同僚には手厳しいくせに、べったりしたアイドルをかわいいなんて言うし。冷え性なところも」

駄菓子みたいな味の青リンゴサワーを飲みながら答えて、わたしはふと顔をあげた。

「そもそも普通のオジサンってどういう人？」

尋ねると、キクちゃんは軽く首を傾けてから

「そのまま自分の父親に成り代わっても不自然じゃないって思わせるような雰囲気か

な」

その言葉にわたしは首を振った。

「あんまりそういうふうに考えたことはなかったな」

「野田ちゃんとサイトウさんって、どこか似たところがあったのかもしれないね」

「どうだろうね」

握ったヘラの先にこげたもんじゃ焼きがこびりついていた。これがおいしいのだと笑って、キクちゃんは口に運んだ。

「どんな話をしていたの?」

「深刻なこととかマジメな話が多かったかな。最初のころはけっこうくだらない会話もあったけど」

よけいな雑音の消えた記憶の世界はおだやかで、わたしはちょっと静かな気持ちになった。

「お店で働いてたとき、無理して最近の話題ばっかり口にするお客さんって多かったな。

本当は通じる部分ってべつにあったと思うんだけど、理解されなかったらって思うと、不安なんだろうね。わたしはまったく知らない話を聞いているほうが楽しかったけど」

そういえばキクちゃんが以前のバイト先の話をするのは初めてだと思いながら、わたしは豚とキムチのお好み焼きに箸をつけた。ほかのバイトの女の子とケンカをして首になったという彼女は、今はファミリーレストランでホールスタッフをしている。

「戦後の新宿のサラ地にどうやって大きなビルを建てたとか、そういう自慢ばかりしてるおじいさんの話はどこまで本当か分からなくて、けっこう好きだった。なのに息子が役立たずで、結局ほとんど売り飛ばしちゃったって笑ってたな。平家物語だよね」

小さな店の中にはすっかり煙が立ち込めていた。軽く足を崩すと、皮膚に畳の跡がうっすらと付いていた。

食後のバニラアイスを食べ終わってから、わたしたちは店を出た。駅までの道は商店街が続いていた。アーケードを打ち付ける雨音が四方から響いていた。

「バイトは何時から?」

「十時だよ」

そう答えたら、キクちゃんは頷いて黙った。

商店街はほとんどの店が閉まっていた。コンビニとレンタルビデオ屋の明かりだけが大袈裟に輝いている。ふいにキクちゃんが閉店間際のリサイクルショップにむかって駆け出した。

「野田ちゃん、これ、どうしよう」

小さな白い椅子を指さして呟いた。背もたれのところに雪の結晶がいくつも彫られている。ちょうど彼女の腰ぐらいの高さだった。

降りかけたシャッターを強引に止めて彼女は約十分間ほど悩んでから、結局、買うことに決めた。

「明日の昼頃にはご自宅のほうへお届けしますね」

笑うと右側だけ八重歯ののぞくレジの女の子に言われて、キクちゃんは笑顔で頷いた。

商店街を出ると真っ暗な闇に雨が降り続いていた。立ち込めるアスファルトの匂いと、むっとした湿気に毛穴をふさがれる。キクちゃんは赤いカサをさしてわたしは青いカサをさした。

風の中の花のように二人で揺らせて水の流れ落ちていく歩道橋の階段を上がった。

雪生さんに話をしてから、なんとなく眠れない日が続いていた。

何時間もベッドの中で目を閉じてようやく眠っても、今度は浅い眠りの中で良くない夢ばかり見てしまう。追いかけられたり、体の一部を失ったり、高いところから落ちたり。

薄暗い明け方の中で起き上がると、汗だくの体に安堵が広がった。夢で良かったと心の底から思いベッドから出て、台所でコーヒーを入れる。沸騰したやかんからカップに注がれるお湯の音。まだ暗い窓の外で鳴いているカラス。背骨を伸ばすとかすかに痛む。

コーヒーを飲みながら、そういえばわたしは子供のころから空を飛ぶ夢を見たことがなかったとふいに思った。

近所の薬局でひさしぶりに市販の睡眠薬を買ってきて飲んでからはようやく安定した眠りが訪れたものの、今度は起きているときに頭の中がぼんやりとして、石で押さえつけられたように上手く感情の起伏が起こらない日々が続いた。

その日もわたしは薬局へ寄ってから夕食の買い物をスーパーで済ませて帰ってきた。

アパートの階段を上がると、ドアの前にだれかが座り込んでいるのに気付いた。見知らぬ男の人だった。

「すみません」

ちょっと警戒しながら声をかけると、彼は顔を上げた。無地のベージュ色の半袖シャツに、まだ穿き古していないきれいなジーンズを穿いていた。青いスニーカーの靴ヒモが白く、小ぎれいな格好をしていた。

「なにをしてるんですか？」

「やっぱり加世ってまだここに住んでますよね?」

そう言って立ち上がり、顔をのぞき込まれた。瘦せていて背が高かった。しばらく見つめてから魚眼レンズごしに見た顔だと思い出した。

「ああ、加世ちゃんの元彼氏」

「やっぱり、知ってるんですね。そうですよね、変だと思ったんです。郵便物もあいつのしか届いてないし、自転車も置きっ放しだし」

これはもしかして世に言うストーカーではないかと思いつつ、早口に喋った口調は高圧的ではなく、むしろ気弱そうな言葉尻だったために、わたしはため息をついた。

「彼女は京都のほうの実家に帰ってます。わたしは加世ちゃんの大学の友達で、彼女がいない間だけ部屋を貸してもらってるんです」

「連絡先を教えてもらえませんか? あいつ、携帯のほうは着信拒否にしていて」

「わたしも携帯の番号しか知らないですよ。知っていても教えないです」

そう告げながらスカートのポケットの中に手を入れた。もしも相手が逆上するようなことがあれば、先日東急ハンズで買ったばかりの防犯ブザーを試してみようと考え

ていた。

「じゃあ、いつ帰ってくるんですか」

「わたしは加世ちゃんに、あなたには引っ越したって告げてほしいと言われていたんです。正直もう迷惑してるって。たぶん次に訪ねてきたら通報されますよ。それでもいいなら」

怒り出すかと思ったのに、落胆して眉を寄せた彼の目からはあっという間に涙が落ちた。ぎょっとして肩を揺すると、さらに触発されたように声を押し殺して泣き出した。

仕方なくわたしはしばらくドアの前で、彼の背中をさすったりなぐさめたりしていなければならなかった。見知らぬ男の背中を軽く叩きながら、なんでわたしはこんなことをしているのだろう、と心の中で呟いていた。

相当な時間をかけてやっと落ち着いたものの、途方に暮れた顔で廊下にしゃがみ込んだまま動こうとしなかったので、仕方なく近所の洋食屋に誘った。

うわの空で立ち上がった彼は

「部屋へは入れてもらえませんか？」

「それはダメ」

きっぱりと断ったら、まだぐずぐずと泣き出しそうな気配だったので、わたしは手を引いてアパートを出た。

歩きながら後ろから虚ろな目でついてくる彼を見て、うっかりエサをあげてしまった野良猫みたいだと思った。

わたしはお店で魚介の冷製パスタを頼み、彼はカルボナーラを頼んだ。シーザーサラダを頼んで半分は彼のお皿に取り分けると、ようやく少し目が覚めたような顔で
「すみません」

そう呟いた。もしかしてわたしの奢りなのだろうかと思うと理不尽な気がしたが、あまり深く考えないことにした。

「ワイン飲めます？」

「はい」

わたしは二人分のサングリアも注文した。冷たいサングリアは甘くて、かすかにレ

モンの香りがした。長いことドアの前で立ち往生していたために、自分でも気がつかなかったぐらい空腹だった。

話したいことがなかったので、仕方なく今さらお互いに自己紹介をした。彼が大学名と専攻を告げた後に

「そちらの大学へ行った友達に紹介してもらって、加世とは知り合ったんです」

そう告げた。わたしは壁に掛かった時計を見た。彼は運ばれてきたパスタを丁寧なフォーク使いで食べた。食べ方のきれいな人だと思った。

「加世ちゃんとはどれくらい付き合ったんですか?」

「三ヵ月です。彼女の誕生日を祝った翌日に、やっぱりわたしたちは気が合わないから終わりにしようって言われました」

終わりに、のところで彼はちょっと言い淀んだ。わたしは気付かなかったふりをして、レタスにかかったチーズをこぼさないように気をつけながら口に運んだ。

「彼女の趣味に合わないプレゼントをあげてしまったとか」

「たぶん、そんなことはないと思うんですけど」

彼の空いたグラスにサングリアをつぎながら、彼が加世ちゃんにあげたプレゼントを聞いたわたしは眉を寄せた。

「失礼ですけど、なにかバイトはしたりしてます?」

「それは一応していますけど、大学の勉強が忙しいので、あんまり」

「実家が裕福なんですね」

「そうなんでしょうか。まわりにはそう言われますけど」

食事の最中に、わたしは彼にくり返しあきらめるように忠告した。彼は聞いているのかいないのか分からないような表情でこちらを見つめていた。

お会計のときにすべて払うと言った彼を制して、わたしは自分の食べた分の額を差し出した。妙な疲れが体に残った。彼を駅へ帰してから、戻ってきた部屋の中で着替えていると、喉が少し痛いような気がする。洋食屋のクーラーが強かったせいだと思った。

加世ちゃんに電話をして、火事ではないんだけどね、と前置きをしてから一応さきほどまでの出来事を伝えると

「ごめんね、面倒なことに巻き込んで」

「あの人はたぶん、はっきり説明しないと分からないよ」

加世ちゃんはため息をついた。

「だめなんだよ。あの人、私が文句を言うと、それならぜんぶ直すなんて言うし。なにも考えずにぜんぶ直すなんて、そういうところが嫌だったなんてこと、分からないんだよね」

そんなふうに話をして、わたしは電話を切った。

軽くシャワーを浴びて歯をみがいてから、わたしはベッドの中にもぐり込んだ。はたから見たらわたしも彼のように空回りしているだけなのだろうかと考えたらぞっとした。嫌な感覚につかまってしまった気がした。

体はきしむほど疲れているのに、眠りはなかなか訪れなかった。台所で袋から白い錠剤を取り出して飲み、ふたたびベッドへ入った。


真夜中、自分の咳き込む声で目が覚めた。

体にかけたタオルケットが床に落ちていて、喉が掠れて痛かった。水を飲もうと立ち上がったら重たい頭痛がした。

ベッドへ戻ってから今度は何度も怖い夢を見た。昔からわたしは風邪をひくと幽霊の夢やなにかに追われている夢を見るのだ。

翌朝も目覚めると気分が悪かった。胃の奥になにかが詰まっているようで食欲が働かずに、起き上がるのもおっくうだった。

自宅に戻ろうかと思ったものの、着替えてしたくをして電車に乗って、という行程を考えるとめまいがした。迎えに来てほしいと頼むのも気が進まなかった。たしかにわたしは自分から相手に求めるというのがとても苦手だ。

結局、バイト先にだけ連絡をして休ませてほしいと頼んだ。谷口さんが電話に出て、今夜は自分が代わりに入ると答えてくれた。それから店長はまだ病院から戻らないのだと続けた。

「すみません、忙しいときに」

「いや、すべての仕事を自分で管理できるから逆に楽だよ」

ゆっくり休むようにと告げて彼は電話を切った。
わたしは枕元に飲み物だけ置いて、あとはほとんど眠っていた。ときどき目覚めると、読みかけだったポール・オースターの『ムーン・パレス』を開いた。ずっと集中していると目が疲れてくるので、適度に読み進めてから、また眠った。

夕方まで眠り、明日プールへ行かないかというキクちゃんの電話で目が覚めた。起き上がると空っぽの胃が絞られるように痛んだ。残りものでも食べようと冷蔵庫を探りながら
「ごめん。ちょっと今は風邪ひいてるから無理だな」
そう答えたら、キクちゃんは驚いたように
「そういえば声が変だよ。一人で大丈夫なの？　今はちょっと出先だけど、夜中なら行けるから」
大丈夫だと答えて、少し話してから電話を切った。頭の奥にはキクちゃんの言葉の余韻だけが残っていた。わたしはベッドに戻ってタオルケットを体に巻き付けた。ミ

ノムシみたいな安心感に浸されて目を閉じた。

それから一時間も経たないうちに部屋のインターホンが鳴った。

あの気弱なストーカーだろうかと、立ち上がるのすら億劫に思いながらも魚眼レンズをのぞき込むと、なぜか雪生さんが立っていた。

わたしはあわてて洗面所で寝癖だけでも直してから、パーカを羽織ってドアを開けた。

雪生さんは買い物袋を片手に親のような顔で
「四十度の熱でふらふらだって聞いたけど、大丈夫?」

そう訊かれて恥ずかしくなり、わたしは頭を抱えた。

「すみません、キクちゃんが大袈裟に伝えたんです」

「うん、キクコから派遣されて来た。十時になったら交替しに来るって言ってたから、それまでは僕が手伝うよ」

戸惑いながらもわたしは彼を部屋に通した。お茶を入れようとしたわたしに、横になったままで良いと告げてから、彼は台所でスーパーの袋の中身を取り出した。

「なにか食べた?」

「いえ、今日はまだ」

「やっぱり。ちょっと台所を使わせてもらうよ」

しばらくすると、鍋にお湯を沸かす音や、ネギを刻むような音が聞こえてきた。わたしは男の人が自主的に台所に立っているところを見たのは初めてだった。

「野田さん、これって今も飲んでるの?」

ふいに雪生さんがこちらを見て言った。わたしが顔を上げると、彼は薬の入った青い箱を手に持っていた。

「市販の睡眠薬だよね、これ」

ええ、まあ、と曖昧な返事をしたら雪生さんはすっと箱を開けて中の錠剤を取り出してからトイレへ入っていった。

様子を見に行くと、ぷち、という妙な音が聞こえた。雪生さんが錠剤のシートから一つずつ薬を押し出してトイレに流していた。

「なにをするんですか?」

さすがに憮然として大きな声を出したら頭の奥に響いた。彼は表情のない横顔で
「僕はあんまり薬を信じてないんだよね」

淡々とそう言って、すべての薬をトイレに捨ててしまった。

「だからって」

残ったプラスチックのシートを台所のごみ箱に捨て、ふいに向き直った彼は
「僕もキクも自己中心的だからね。気にいらないものは、たとえ自分には関係がなくてもどうしても見過ごせないんだよ」

「雪生さん」

「死にたくなったら、どんな時間でも駆けつけて止めるから。見捨てたりしないから。

愚痴でもなんでも好きに喋ってかまわない。それでも抜け出せないほど絶望が深かったら、そのときは僕を殺してから死んでくれ」

「さっき、キクちゃんのこと、キクって呼びましたね」

雪生さんは一瞬きょとんとしたような顔をしてから、気が抜けたように頭を掻い

た。

「気がつかなかった。君の言い方が移ったんだな」

その言葉にちょっと笑いながら、わたしはべつのことを考えていた。雪生さんと喋っているとき、なにかが一瞬だけ胸の中にひっかかった。けれど、そのひっかかりがなにか上手く説明できなかった。

出来上がった中華がゆと春雨のサラダを食べ、わたしは雪生さんたちの子供のころの話を聞いていた。雪生さんが子供のときはいつも女の子に間違えられたとか、同級生に意地悪されたキクちゃんが相手をドブに突き落としたとか。

「台風の日に、僕が学校から帰ると夏生とキクコが二段ベッドの中に隠れてた。がたがた窓が鳴ってる暗い部屋でベッドに入ってると、洞穴みたいで楽しいんだって」

そこで言葉を切ってから、彼は急須の中で葉が広がったことを確認して、湯飲みに緑茶をついだ。

「ごめん、退屈な話ばっかりだね」

「そんなことないですよ」

わたしの話も聞きたいと彼が言ったので
「わたしはずっと一人っ子だったので、両親との思い出以外はほとんど一人で本を読んだりテレビを見たりした記憶ばっかりですね。二人とも共働きで夜遅くまで帰らなかったし」

「だから風邪をひいても一人でなんとかしようとするんだね」

雪生さんがちょっと渋い顔でこちらを見たので、わたしは目をそらした。

「でも一つだけ」

湯気のたつお茶はおいしかった。喋るたびに、喉の奥から隙間風に似た掠れ声が漏れてくる。

「近所に彩ちゃんっていう子が住んでたんです」

わたしは曲げていた足を伸ばした。背骨の奥が少しきしんだ。

「いつごろのこと?」

「まだ六歳とか、七歳のときかな。かわいい子だったんですけど、ちょっとワガママだったんですね。それでわたしのほかには友達がいなくて、彩ちゃんはいつもわたし

がほかの子と遊ばないように見張ってるような感じだったんです。だれかが誘いに来る前にわたしを自分の家に連れていってしまうとかね」

いったん言葉を切ると、雪生さんが煙草を吸っても良いかと尋ねたので頷いて、少しふらつきながら立ち上がって窓を開いた。そしてまた床に腰をおろした。

「けど、わたしが家で誕生日会を開いたときに、ほかの友達から彩ちゃんを呼ばないでほしいって言われて、わたしも少し面倒だったから賛成したんです。そうしたら後で彩ちゃんにそのことがバレちゃって」

「大変なことになっただろうね」

「階段から突き落とされたんです」

雪生さんが黙ったので、五段ぐらいのところからですよ、とわたしはあわてて補足した。

「だからあまり痛くはなかったんですけど。そのときに振り返ったら、ものすごい勢いで彩ちゃんが泣いていて。後日、仲直りはしたんですけどね。そのときにリボンで結んだ髪を振り乱して泣いていた彩ちゃんの姿は、今でもよく覚えてます」

雪生さんは相槌を打ちながら指に挟んだ煙草から灰を落とした。蛍光灯に照らされた煙はぼんやりと白い。

「僕らがこうやっておせっかいを焼くのは、君にとって迷惑なんだろうか」

「そんなことはないんです」

「正直に言ってくれてかまわないよ」

「本当です。ただ、うまく感情が戻ってこないんです」

こういうときの雪生さんはこちらが戸惑うぐらいに優しい表情をするので困る。

「君はまだ前に付き合ってた人が好きなんだろうか」

「分かりません。たとえば街中で一緒に聴いた曲を耳にすると体が壊れそうになったり、思い出すたびに何度も走りだそうとしてしまったり、そんなふうに気持ちは湧き上がるけど、だからって、もう一度くり返す気はありません。今度あの人に触れられたら、わたしたぶん死んじゃいます」

雪生さんは曇ったメガネを外して、シャツの裾でレンズを拭きながら軽く息をついた。

この人の涼しい目元は母親似だろうかとわたしは思った。

「そこまで言われるっていうのは、正直ちょっとうらやましいかもしれないな」

「けど、やっぱりそんなの変ですよね。どちらも幸せにならなきゃ意味がないってわたしは思うから」

そう、だからきっと、わたしは言葉をたぐりながら呟いた。

「わたしはあの人に幸せになってもらいたかったんです。眠る前に新しい朝が来ることを楽しみに思うような、そんなふうになってもらいたかった。けど、わたしには無理だった」

その力不足を未だに認めたくないのかもしれないです」

「自分が他人を幸福にできるなんて発想は、そもそも行き過ぎなのかもしれないよ」

わたしは雪生さんの顔を見た。彼はメガネを掛けながら笑った。

「幸せにしたいと思うことは、おそらく相手にとっても救いになる。けど、幸せにできるはずだと確信するのは、僕は傲慢だと思う」

開いた窓のほうから小さくピアノの音色が流れ込んできた。近所の家で子供が練習

しているのだろう、あまり優雅じゃないカノンのメロディーに耳を傾けながら
「そうかもしれませんね」

わたしはお茶をすすった。ドアのむこうで階段を上がる音が聞こえる。わたしたちが顔を見合わせると同時に、インターホンが鳴った。

「ごめん、開いてるスーパーを探してたら遅くなった」

そう早口に告げながらキクちゃんが入ってきた。今日の彼女は真っ白なワンピースを着ていた。ヒールの高いサンダルを玄関に放り投げて、持っていた袋を差し出した。中には鮮やかな果物がたくさん入っている。それを見た雪生さんが立ち上がって、買ってきた果物を台所で洗い始めた。

「野田ちゃん、大丈夫?」

そう言ってキクちゃんはさっとわたしの額に自分のおでこを軽くつけた。実際にそんなことをする女の子は初めてで、わたしは自分の鼻に一瞬だけ掠った彼女の鼻先に少しだけ緊張した。

「キクちゃん、びっくりした」

「こういう鼻と鼻とをこすり合わせるのを、エスキモーキスって言うらしいよ」

さらっとキクちゃんは言ってから、思い出したように白いバッグの中からなにかを取り出した。

「これ、野田ちゃんにプレゼント」

そう言って彼女は一本のビデオテープを差し出した。思わず首を傾げながら
「呪いのビデオ?」

わたしのくだらない返事にキクちゃんがあきれていると、雪生さんが大量の果物を載せたガラスの器を運んできた。スイカやキウイフルーツ、オレンジの輪切りが鮮やかに盛られていた。

「キクコ、おまえ、すごい量を買ってきたな」

そう言いながら雪生さんもわたしが持っていたビデオテープをのぞき込んだ。

「なんだこれ?」

「夏生からのビデオレター」

そう答えてからキクちゃんはビデオデッキにテープを入れた。

画面に映ったのはどこかのスタジオのようだった。ギターを抱えた夏生君が不器用な作り笑顔で、こんばんは、と言って頭を下げた瞬間にキクちゃんが大笑いした。

「キクちゃん、そんなに笑ったら可哀想だよ」

「だって傑作だよ。夏生のやつ、普段はあんなにかっこつけてるくせに」

そう呟いたキクちゃんはまだ押し殺した笑い声を唇から漏らしていた。

画面にはほかにも楽器を持った男の子たちが映っていた。みんな夏生君よりは年上みたいだった。雪生さんが妙に感慨深そうにテレビを見つめている。

そのうちに画面の中の夏生君は、わたしも知っている歌を何曲か歌い始めた。最近の曲だけではなく『Ｓｔａｎｄ　ｂｙ　ｍｅ』やサイモン＆ガーファンクルの『冬の散歩道』も混ざっていた。

「このへんの選曲はお兄ちゃんの影響だな」

そう呟いたキクちゃんが目を細めた。

夏生君の歌い方はまだまだ少年ぽさの残る甘い感じで、正直、低い音や声量にはさほど迫力がなかったけれど、その声にはやっぱり不思議な良さがあった。

最後に一曲だけ聴いたことのない歌でしめくくってから、ありがとうございました、とふたたびぎこちない笑顔で言ってビデオは途切れた。

「感想を聞かせてほしいって」

デッキからビデオを出したキクちゃんは、白いバッグにテープをしまって言った。

「その前に、どうしてわたしにこれを？」

「前に誉められたのがよっぽど嬉しかったんじゃないかな。あの子ってあんまり家族以外から誉められたことないみたいだから」

あいかわらずはっきりと言ってから、キクちゃんはオレンジの輪切りを指先でつまんだ。

口に入れた後で、すっぱい、と笑った彼女に、お土産を相手よりも先に食べるものではないと雪生さんは諭した。瑞々しい香りがテーブルの上からこぼれるようにあふれ出していた。

それから、翌日も仕事があるという雪生さんは先に帰っていった。わたしはキクちゃんが台所で食器を洗ってくれている姿を見ながらタオルケットにくるまっていた。

キクちゃんは眠る前に、雪生さんと同じように自分が子供のころの話をしてくれた。

もっとも、同じ話でも雪生さんとキクちゃんの記憶がかなり食い違っているので、わたしが笑っていると

「どうしたの?」

キクちゃんはきょとんとした顔をしてから、明るい目で語り続けた。

初めて友達の家に泊まった夜を思い出した。やわらかい眠りに引き込まれながら、わたしはキクちゃんの話をいつまでも聞いていた。

わたしが初めて付き合った男の子は、海のある町に住んでいた。生まれたのは東京だけど、高校生のときに親の都合で引っ越したのだという。友達の友達だった。夏休みに彼がこちらへ遊びに来ていたときに偶然出会って、紹介された。

週末に電車で片道一時間半かけて遊びに行っていた。電車に乗って、窓ガラスのむ

こうに海の気配を感じるといつも鼓動が早くなった。

彼の家のガレージで抱きしめられたとき、突然、彼が見知らぬ人になってしまった気がして戸惑ったけれど、それはけっして嫌ではない違和感だった。

その男の子は別れ際にかならず先の約束を取りつけたがるわたしに、どうしてそんなにあせるのかと不思議そうな顔でいつも訊いていた。

いま目の前にあるものが明日にはもう消えているのではないかと思うと怖かったのだ。

けれど実際に彼が去っていったとき、わたしは友達に泣いて語ること、一週間の夜遊びとケーキバイキングで彼のことを忘れてしまった。

手放したくないと必死に思っていたときの感覚さえ、目覚めてすぐに忘れてしまった夢みたいに、二度とよみがえっては来なかった。

何事もなかったかのように時間が流れて、わたしはそのうちにまわりと競い合いながら受験勉強に没頭するようになった。

そんなときに出会ったのがサイトウさんだった。

わたしは彼となにかを約束したいと思ったことは一度もなかった。むしろそういう話は極力、持ち出すのを避けていた。

自分でも不思議だった。最初に付き合った男の子とはなんの意味もないと分かっていても十年先のことまで約束しようとしたのに、サイトウさんと一緒にいるときには、明日世界が終わってしまえばいいのに、などと不埒なことを心の片隅でいつも考えていた。

どんなに明るいほうに戻ろうと手を引いても、気がつくと一緒に深い森の中に戻っている、抜け出す努力を放棄したまま大人になってしまったこの人と十年も二十年も一緒にいるなんて冗談じゃないと、そんなふうにどこかで思っていた。

加世ちゃんが戻ってくる前日の夜、わたしは荷物をまとめていた。

洗ったはずの洋服にもこの部屋の空気が少し残っていた。ようやく慣れたベッドの感触が染みついた背骨は、今度は帰った自宅のベッドにしばらく違和感を抱くだろう。

片付けをすませてから、一ヵ月半分の家賃だの光熱費だの、だいぶ安くしてもらった額を封筒に入れてテーブルの上に置き、部屋の電気を消してドアに鍵をかけた。鍵は郵便受けの裏にガムテープで張り付けておく。

左手に黒いボストンバッグ、右手に朝顔の鉢植えを抱えて、わたしは明るい夜の中を駅へむかって歩きだした。

家のドアを開けると、母が居間でニュースを見ていた。おふろ場のほうからシャワーの流れる音が響いている。一人で暮らすよりも数倍の生活音にあふれた家の中は、玄関のマットが赤と白の横縞から無地の青に変わっていただけで、あとはいつものとおりだった。

「ただいま」

大きな声でそう告げると、ようやく気付いた母が出てきた。

「おかえり。スイカがあるけど食べる?」

わたしは頷いてから、カバンを玄関に置いたまま、朝顔の鉢植えを持って庭のほうへまわった。

細い月が照らす庭はきれいに雑草が刈り取られていた。軒下には作りかけの棚が立て掛けてある。今度はコーヒー豆に似た深い茶色で塗られていた。

棚の横に並べて朝顔の鉢植えを置いてから庭を出た。


初めて雪生さんの部屋に行った日のことはよく覚えている。

週末の雨が降る夜に、話がある、という電話をもらって、わたしもだと答えた。

父はまだ仕事から帰らずに、母は寝室で化粧台の引き出しの整理をしていた。家の中はとても静かだった。

翌日、わたしは雪生さんの部屋へ遊びに行った。予想していたよりも物が多かった。よけいなものが少ない整然と片付いた部屋だろうと勝手に思っていたのだ。

実際は机の上に何冊も本が積み重ねてあったり、銀色の額縁に入ったクリムトの複製画をおおうようにハンガーにかかったジャケットが下がっていたり、片付いてはいるけれどはっきりと生活感のある空間だった。

コーヒーを飲みながら少し世間話をして、それから彼が好きだというCDを聴いた。

その後には趣味でたまに撮っているという写真のアルバムを見せてもらった。外国へ旅行したときの町の風景、知り合いやビルの屋上から見えた空を写した写真がかなりの枚数でファイルされていた。

大きな窓から落ちる強い日差しを白いカーテンが遮っていた。窓からは近所の大学の校舎や大きな川が見えていた。

僕は君のことが好きかもしれない、と雪生さんが言ったとき、わたしはソファーに座ってテーブルの上に出されたマドレーヌを食べていたところで、細かい粉が喉に入り込んで軽くむせてしまった。

「ごめん、タイミングが悪くて」

そう言って彼はわたしにコーヒーのカップを手渡した。深呼吸しながらコーヒーに口をつけた。

「言おうかどうしようか迷ってたんですけど」

口元を拭い、わたしは言った。

「雪生さん、お母さんが肝臓ガンで死んだなんて嘘ですね」

彼は一瞬だけ戸惑った表情をしたが、すぐにいつもの顔に戻って
「キクコから聞いたの?」

わたしは頷いた。彼は黙ったままアルバムを閉じた。

「はい。わたしが風邪をひいて二人が看病に来てくれた夜に」

「そうだよ」

あきらめたように雪生さんはソファーに寄りかかって、深く息を吐いた。それから妙にすっきりとした顔でこちらのほうを見た。

「ごめん。嘘をつくつもりじゃなかったんだけど」

「それも嘘だ」

コーヒーを飲みながら呟いたら、また、ちょっとだけむせ返りそうになった。

「キクちゃんが言ってましたよ。お兄ちゃんはお母さんのことでは絶対に他人に本当のことを言わないんだって。いつもそうなんだって。ただ、野田ちゃんには本当のこ

とを話してるかと思ってた、って」

「ごめん」

雪生さんはしばらく沈黙していた。揺れるカーテンのむこうで、空のものすごく高いところを飛行機が飛んでいくのが見えた。

「わたしが苦しそうにしてるから救ってくれようとして、その感情を恋だと錯覚してるとしたら」

「それも少しはあるけど、それだけじゃないよ」

きっぱりとした声で雪生さんが言ったので、今度はわたしのほうが黙った。

「たしかに僕は母親のことで今までずっと嘘をついてきた」

ずっとですか、と尋ねたら、ずっとだと相槌を打った。

「僕の父は君が会った通りの人だけど、母はなんていうか、父とはまったく正反対のタイプだったんだよ。線の細くて、神経質というか、ちょっと過敏なところがあった。

ときどき一緒にいるのがきついぐらいだったよ。とくに夏生が生まれた後、仕事が

ちょうど忙しい時期と重なって父が頻繁に家を空けるようになってからは育児ノイローゼみたいな状態になって大変だった。そのころの母にはもう、僕らの声なんか届いていないみたいだった。

母がいなくなってからずっと同じ部屋の中にいるみたいだった。どんなに激しい風が吹いても、すばらしい景色を見ても、自分はいつも一枚みんなと隔てたところにいる気がしていた。

母と過ごした時間が僕よりは短い夏生とキクコが正直ずっとうらやましかったよ。あの二人は僕よりもずっと遠くまで行けるように見えた」

「その考え方こそ傲慢だと思わないですか?」

「今では思う。ただ、いったんそういう発想の世界につかまってしまうと、もう身動きが取れなかったんだ。ようやく焦点が合ってきたのは就職して家を出て、一人で考える時間が増えてきたここ数年なんだよ」

次第に混乱が頭の中に積もってきた。わたしが片手でこめかみを押さえていると、彼は申し訳なさそうな顔で

「嘘をついていたのは、ごめん。信用してなかったわけじゃない」

「雪生さんのお母さんは、結局、どうなったんですか？」

そう訊いたら雪生さんは少し意外そうな顔でこちらを見て
「キクコから聞いたわけじゃないの？」

わたしは首を横に振った。

「肝臓ガンで死んだわけではない。そう言われただけです。自分が本当のことを喋ってもかまわないけれど、お兄ちゃんと野田ちゃんの関係のほうも大事にしてほしいから、やっぱりお兄ちゃんと直接話してほしいってキクちゃんは言ってましたよ」

その言葉に雪生さんは困った顔で笑って何度かまばたきをすると
「まいったな。キクコのほうが僕よりもずっと大人だ」

そう言って自分の頬を撫でた。

「けど、キクちゃんがああいうふうに育ったのは、雪生さんたちに囲まれて育ったからだと思いますよ」

雪生さんはふと真面目な顔になって

「いつか、かならずきちんと話すから。だから、母に関する話はもう少し待ってほしい」

わたしは頷いてから雪生さんの背中に手を伸ばして、前に彼がそうしてくれたように撫でた。

ゆっくりと雪生さんの体が近づいてきて、背中に手が触れた。ソファーに軽く倒れ込んで見上げると、兄でも先生でもない、ただの男の人の目でこちらを見ていた。

押し返そうとしたけれど、服を着た姿から想像していたよりも実際の雪生さんの体はずっと重かった。服の中に入り込んできた手のひらの熱い体温に、一瞬だけ泣きそうになった。

どんなに求めても一定の距離を保ったまま、本当は全然わたしのことを見ていなかったサイトウさんのことを思い出した。

シャツのボタンを半分ほど外したところで、雪生さんはふと迷ったように体を離した。

わたしは寝転がった状態で、立ち尽くしている彼を見上げた。さっきはあんなに強

かったのに、今はもう途方に暮れたような顔をしている。

「嘘はいやだ。けど、雪生さんがしてくれたことはぜんぶ嬉しかったよ」

大きな声で言ったわたしに彼はようやく笑ってこちらをむいた。

「あせって、ごめん」

いいえ、と首を横に振って、わたしは起き上がった。それからシャツのボタンをとめて軽くついたシワを伸ばし、新しく入れてもらったコーヒーを飲んだ。

窓の外の青い空に、消えかかった飛行機雲がうっすらとどこまでも伸びていた。


同じ高校のクラスメートではあったけれど、卒業するまでにわたしとキクちゃんが二人で話したり一緒に出かけたりしたことはほとんどなかった。

わたしが昼休みに教室で女友達に混ざってやきそばパンをかじっていると、よく窓から数人の男の子たちと正門を登って学校を抜け出していくキクちゃんの姿が見えた。

キクちゃんの言動はほかの女の子たちからは失笑を買っていたが、わたし自身はいつもだれよりも楽しそうにしている彼女を見るのが嫌いではなかった。

あれは体育祭の朝だった。教室にサイフを忘れてしまったわたしは、開会式が始まる直前に校庭で並んでいた列をそっと抜けて、校舎に戻った。

だれもいないと思っていた教室から物音が聞こえてきたので、残してきたサイフのことを思い出したわたしがあわててドアを開けると、キクちゃんが教室の後ろのロッカーに寝転がってのんきに鼻歌を歌っていた。

「どうしたの?」

振り返った彼女はこっちがしたかった質問を先に口にした。唇の右端に小さな黒いホクロがあった。顔の小さい子だと思いながら見ていると、キクちゃんは真顔のまま

「もしかして野田さん、具合でも悪いの? それなら教室じゃなくて保健室にいかないとダメだよ」

わたしは首を横に振って、サイフを忘れてしまったことを告げた。

教室の机には、きっちりとたたまれたものから少し乱雑に置かれたものまで、女子

の着替えとカバンが積まれていた。ロッカーから降りたキクちゃんが窓のほうへ駆け寄ると

「野田さんも一緒に見ようよ」

わたしを手招きした。仕方なく呼ばれたわたしが校庭を見下ろすと、ちょうど吹奏楽部の行進曲の演奏が始まっていた。秋の透明な日差しの中でいっせいに歩きだした生徒の足元から砂ぼこりが舞い上がる。

勇ましい音楽に乗って広々とした校庭をまっすぐに進んでいく人の波が朝の光に包まれていた。

「あの中に混ざってると退屈なだけなのに、ここから見るとちょっと楽しいでしょう」

風に吹かれた前髪を押さえながらキクちゃんが笑顔で言った。わたしは相槌を打ちかけてから、ふと我に返って

「もしかして去年の体育祭もさぼって教室から見てたの?」

そう尋ねたら、あっさりと頷いて笑った。彼女の背後で白いカーテンが大きくはた

めいていた。

行進が終わってから、サイフを手にしたわたしが校庭に戻ると告げたら、キクちゃんはちょっと残念そうな顔で頷いた。そのまま彼女を残して教室を出た。廊下から振り返るともうべつのことを考えているような横顔でキクちゃんはふたたびロッカーに寝転がっていた。

野田ちゃんと体育祭の日に教室でちょっと話したね、というキクちゃんの一言で、そんなことを思い出した。

「あのときはこんなふうに野田ちゃんと仲良くなるなんて思ってなかったからなあ」

キクちゃんはキスチョコをつまんで、そう言って笑った。

キクちゃんが最近よく来ているというショット・バーの店内は土曜日の夜ということもあってお客が多く、わたしたちのテーブルのすぐそばでは三人組の男性客が壁にかかった大きなダーツで遊んでいた。

わたしはグラスの下で濡れてふやけたコースターを見ながら、あのときのキクちゃんの姿を思い出していた。

白い大きめのTシャツから出た彼女の腕は今よりもさらに細くて、なんだかたより
なく見え、上目使いにこちらを見る瞳の印象だけがやけに強かった。
「そういえば、キクちゃんって口元にホクロがなかった？」
そう言って彼女のほうを見ると、キクちゃんはしばらく首を傾げてから思い出した
ように大きな声で笑った。
「うん、あのときマリリン・モンローをビデオかなにかで見た後で、影響されて毎日
マジックで口元にホクロを描いてた」
そう言って笑うキクちゃんに、やっぱりちょっと変な子だとわたしがため息をつい
ていると、彼女はぎゅっと目を細めてこちらを見た。
「キスマークついてる」
あせって首に手を当てたわたしを、きょとんとした表情でキクちゃんは見つめてい
た。
「とうとうお兄ちゃんと寝たの？　それとも第三の男とか」
「そういうタイトルの映画ってあったなあ。けど、キクちゃん。残念だけど、どっち

も外れだよ」

「残念、なんだ」

真剣な顔でそう呟いた彼女にわたしはものの例えだと弁解した。

「それでお母さんの話は聞いた?」

「かならず話すから待ってほしいと言われた」

キクちゃんはわたしの言葉に大袈裟なため息をついて苦笑いすると
「野田ちゃん、あんな面倒な男はもうやめなよ。私がもっと良い人を紹介してあげる」

わたしが眉をひそめると、冗談だと笑ってから彼女は黙り込んだ。大根と水菜のサラダを自分のお皿に取りながらなにやら考え込んでいるようだった。

「キクちゃん?」

「お兄ちゃんは一見、物腰が柔らかいけど、たしかに面倒なところがあって難儀な男かもしれない」

冷静に呟いてからライムの沈んだジーマの瓶に口をつけた。

「けどね、あの人はとりあえず、すごく優しい人だよ。忍耐強くて、なにより情が深いしね。

わたしと夏生はけっこういろんなことに対してすぐにあきらめることが上手になっちゃったけど、お兄ちゃんはそれができなくて苦しんだみたいだし。

お母さんのことにしたって、ヘタするとパパより引きずってるからね」

「自分のせいだと思ってるんじゃないかな」

そうだよ、とあっさりキクちゃんは言って、頬杖をついた。手首につけた細い銀のブレスレットが揺れた。

「前にも言ったかもしれないけど、うちの中でだれよりもお母さんに似てたのはお兄ちゃんだからね。わたしたちよりも分かっちゃって、つらかったみたい。お母さんもそれを知ってるから、悩んだり、イライラすることがあると、真っ先にお兄ちゃんに気持ちをぶつけるしね。あれは見ていたほうも痛かったよ。正直わたしはお母さんがいなくなったときも、悲しかったけど、同時にこれでお兄ちゃんが楽になるなって思ってほっとした」

「なかなか、そう簡単にはいかないみたいだね」

「まあね。けどね、野田ちゃん。きっかけさえあれば、決壊したダムの水みたいにあふれ出すと思うんだよ。それでいったん空っぽになった瞬間から、また新しい水が入って来るはず」

「けどキクちゃん、空っぽになるまでの決壊してる間って、それはそれで大変なんじゃないの？」

ごまかすように笑ってキクちゃんはサラダを食べた。いつもは白い頬がかすかに赤かった。わたしはグラスの中のカシスオレンジを飲み干した。

キクちゃんは頬に落ちた髪を軽く耳にかけると、ちょっと目を伏せた。

「けどね、わたしには野田ちゃんも一度、決壊して空っぽになってたように見えてたよ」


店を出た後で、わたしとキクちゃんはこの前のリベンジだと言い合いながら、ふたたびサイトウさんのいた予備校にむかった。

建物が見えたところでわたしの心拍数はやはり上がって、吐かなかった代わりに腹痛を起こして地面に座り込んだ。わたしを見下ろしたキクちゃんの背後には大きな満月が浮かんでいた。深く息を吸うと、空気の匂いがかすかに変わっていた。

「やっぱりまだ無理だった」

痛む胃を押さえながらわたしが呟くと、キクちゃんは白いマイクロミニのスカートの後ろポケットからガムを取り出して噛みながら

「野田ちゃん、変だよ」

そんなことを呟いた。

「なにが?」

「野田ちゃんの反応って、好きな人との思い出の場所へ来たっていうよりは、いじめられてる子供が学校へ行けって強制されたときみたいなんだもん」

淡々とキクちゃんは言葉を続けた。泣きたいような笑いたいような、くすぐったいのか痛いのか分からない感覚が喉元まで込み上げてきた。

「野田ちゃんがサイトウさんのことを好きだったのは事実だと思うよ。けど、なんか

引っかかるんだよね」

ふっとキクちゃんはわたしの目の前にしゃがんで顔をのぞき込んだ。

「気持ちが悪いって言われたせいかな」

彼女は怪訝な表情で眉を寄せると
「だれに?」

「同じ予備校の子」

わたしは彼女の顔を見上げていた。ちぎれた雲が夜空に散らばって、明かりの消えたビルの屋上がぼんやりと月明かりに照らされていた。

「一度だけサイトウさんと歩いてるところを同じ予備校の子に見られたんだよ。神崎さんっていう女の子で、わりと親しかったから、みんなには黙ってるって約束してくれた。ただ」

「気持ち悪いって?」

頷いたら耳の奥まで熱くなってきた。教室の明かりが消えて、非常灯だけが静かに光っている建物のほうを見ながらわたしはため息をついた。

「自分の父親と同じぐらいの年齢の男と付き合ってるなんて気持ち悪いと」

「同じ年齢だって違う人間なんだから関係ないでしょう」

わたしは首を横に振った。

「それ自体はわたしも関係ないって感じたし、いろんな感覚があるから気にしても仕方ないと思ったよ。ただね、神崎さんに言われる前から正直わたしもサイトウさんとの関係が気持ち悪かったんだよ。ぼんやりとそう感じてたところに神崎さんの言葉でトドメを刺されて、自分の中にあった不快感が嫌悪感と結びついて一気にぐちゃぐちゃになっちゃった」

分かりづらいという顔でキクちゃんが首を傾げたので、わたしは言葉を続けた。

「サイトウさんは最後までわたしを抱こうとしなかった。そういうつもりはないって言われて、けど、そばにはいてほしいっていうことも同時に言われた。あの人にとっては最初から恋愛じゃなかったんだよ。

それでも良いと思って我慢している自分がみじめにも思えたし、不毛な状況に酔っているだけのようにも感じた。ものすごく混乱してもいた。

あの人はいつも心のどこかで死を意識していて、一緒にいると飲み込まれそうで怖かった。そこからあの人を引き上げる自信もなかった」

「それならやっぱり野田ちゃんはサイトウさんと一緒にいるべきじゃなかったんだよ。

サイトウさんが別れようって言ったのは、このままだと野田ちゃんが一方的にきついだけだって分かってたからでしょう」

「うん。けど、痛い。結局わたしにはなにもできなかった。最初から、あの人に触らないほうが良かったんじゃないかって、ずっとそんな後悔につかまってる」

わたしは深く息を吸ってキクちゃんの顔を見た。

「キクちゃん。わたし、どうすればいいんだろう」

「私の胸で泣く?」

彼女のほうを見ると、彼女はそのまま勢いよく抱き着いてきた。男の人とぜんぜん違う細い腕だった。皮膚の感触も筋肉のやわらかさもまったく異なっていて、耳元から彼女のつけている香水の匂いが漂ってきた。

「私は自慢じゃないけど、女の子の友達って野田ちゃんだけなんだよ」

笑いながらキクちゃんが言った。

遠い昔に同じことを言った友達がいたことを、わたしはぼんやりと思い出した。

「昨日よりは今日、今日よりは明日、日々、野田ちゃんは成長して生きてる。それに私もお兄ちゃんもいるし、親だって健在でしょう。だから大丈夫だよ。なにも心配することなんてないよ。それにね、残酷かもしれないけど、野田ちゃんにとってもサイトウさんにとっても、二人の関係はもうすでに終わってるんだよ。それは変えられない事実だよ。痛みは後遺症みたいなもので、時の流れが勝手に癒してくれるはずだよ」

「キクちゃん」

彼女の腕の中で不思議な安心感に包まれているわたしは言った。

「なに？」

「わたしを泣かせるの、雪生さんよりキクちゃんのほうが上手だね」

体を離したキクちゃんは大きな丸い目でわたしの顔をのぞき込んでから、いつもの

笑顔でわたしを起こした。

わたしとキクちゃんは立ち上がって、ふと腕時計を見た。それから顔を見合わせて駅までの道をあわてて引き返した。

ヒールの高いサンダルに何度もつまずきそうになりながら夜の中を全速力で走った。かすかに鉄の味が込み上げる喉の奥から荒い息を吐きながら、わたしは予想外に足が速いキクちゃんの背中を追いかけた。


本当はサイトウさんと会わなくなってから一度だけ、彼と電話で話をしていた。高校の卒業式も終えた後で、お世話になった講師の先生たちにお礼を言いに行ったときだった。彼と顔を合わせそうな時間帯は避けて予備校へむかった。

古典を担当してもらっていた種田先生とひとしきり近況を報告しあった後で、ふと落ち着いた表情になった彼女は、ちょっと外へ出て話がしたいと言った。

私たちはようやく暖かくなり始めた夕暮れの中を歩いて、近くの喫茶店に入った。向かい合って好きな物を注文して良いと告げた彼女は、私のレモンティーと自分の

ブレンドコーヒーを頼んだ後で、水を一口含んでから、斎藤先生となにかあったのかと切り出した。

「野田さん、後半は斎藤先生の授業だけ全然出なかったでしょう。みんな内心、あれで大丈夫なのかって心配してたんだよ」

私が返事に詰まって下をむくと、種田先生はおしぼりを広げて丁寧に自分の指を一本一本拭きながら続けた。左手の薬指には細い銀色の指輪が光っていた。病院の風景が一瞬だけ鮮明に思い起こされた。

「私、この前、斎藤先生と飲みに行ったときに聞いちゃったんだよね」

「なにをですか?」

思わず動揺して顔をあげると、彼女はおしぼりをテーブルの上に置いた。それから短い髪をかき上げた。

「野田さんはどうしたのかって。まあ、いろいろ濁してはいたけどね。

二人のプライバシーに立ち入るつもりはないけど、親御さんからお金をもらってる以上はこっちもさ。私には詳しいことは分からないからこう言ってはなんだけど、だ

いたい斎藤先生だっていい齢なんだから、あなたとあんなふうに受験の直前で関係がおかしくなるなんて非常識でしょう。

あなたがもしも受かってなかったらけっこう大変な問題だったんだからね」

私は彼女の顔と指輪を交互に見てから黙ったまま相槌を打った。そんなに簡単なことを自分で自覚する前に諭されてしまったことがとても恥ずかしかった。

「それで」

「はい?」

「彼はなんて言っていたんですか」

「正確な言葉じゃないかもしれないけど、傷つけてるのが分かったから、これ以上、傷つけちゃいけないと思ったって」

「そうですか」

「あと、これは言わないほうが良いかもしれないけど」

「はい」

「自分ではそうしたつもりだったけど、ケジメをつけたのか突き放しただけなのか今

でもよく分からないとも言ってたね」

私が沈黙していると、種田先生は運ばれてきたブレンドコーヒーをすすってから持っていたハンドバッグを開けてマイルドセブンの箱を取り出した。それから口にくわえて火をつけた。

浅く煙を吐き出した後で彼女は、そんな顔をするぐらいなら二人でちょっと話してみたら、と少し柔らかい声で言った。

たとえ第三者であっても、種田先生の口からそんな言葉が出ると、現実を一瞬だけ楽観的に見ることができた。今だったら話せるかもしれないと本気で考えた。

その夜に私は母がお風呂に入ったのを見計らって、部屋のベランダからサイトウさんに電話をかけた。

暗闇の中ですっかり暗記してしまった番号を押す。樹木の隙間から小さな星がたくさん見えた。呼び出し音を聞いた瞬間に携帯を持つ手がふるえていた。彼は想像していたよりもずっと普通に電話に出た。

「おひさしぶりです」

全速力で走り切った後みたいな声でそう告げると、彼は笑って同じ言葉を返した。

大学に合格したことに対してのおめでとうを言われ、それから少しだけ世間話をしていると時間が戻るような気がした。

会いたい、という一言を口に出してしまったとき、つかの間、沈黙があってからサイトウさんは深く息をついて
「ごめん。それはできないよ」

なんのためらいもなく、そう言った。

「どうしてですか」

食い下がるところではないと分かっていたのに聞かずにはいられなかった。彼は困ったように少し黙った後で
「もう君のことをそういうふうには思っていないんだよ。大勢いる生徒の中の一人なんだよ」

かすかに涼しい風が耳元を掠めた。樹木の葉が鳴る。体の力が抜けていった。

分かりました、と私はなんとか声を押し出した。

「ごめんなさい。物分かりが悪くて」

「いや、こちらこそごめん」

夜空を仰いだ。胸の奥から崩れた感情がこぼれていく。気まずさすら残さなかった。

「今、仕事の帰りですか?」

そうだと彼は答えた。

「ちょうどさっき大きな公園の横を通っていて、夜桜が咲いてるから少しながめてたところだった」

まぶたの裏に揺れる桜の枝が浮かんだ。一緒に桜を見上げているような錯覚におそわれた。風が吹くたびに真っ白な風花が流れていく。

「またいつか、予備校のほうに遊びに行きます」

そう告げると彼はいつもの声で笑って、いつでも来なさい、と返した。

電話を切ってベランダに寄りかかった。もう彼の本心がどうであろうと、たった今、口に出したことがすべてだと分かっていた。

住宅街の屋根と団地のシルエットが浮かび上がった夜の果てをじっと見つめた。鳴

咽すら漏れずにゆっくりと涙は流れた。

生まれて初めて泣くことはなんの役にも立たないと心の底から感じた。

もう私の触れたあの人はどこにもいないのだと悟った。


ふたたび雪生さんの部屋を訪れたとき、彼は少し驚いたような顔でドアを開けた。

彼の仕事が終わるのは毎日五時だと知っていたが、念のために駐車場に車があることを確認してからインターホンを押した。

「もう来ないかと思った」

「そんなことはないですよ」

彼の部屋は雑誌やシャツが少し散らかっていた。流しには使った後のコーヒーカップとフライパンが置かれている。わたしが部屋に上がると彼はすぐにお湯を沸かした。前に中華街へ行ったときに買っていたジャスミン茶を入れてもらい、少し口にしてから息を吐くと、雪生さんはテーブルを挟んで正面に腰をおろした。

わたしは顔をあげて

「もう一度、本当の子供のころの話をしてもらっても良いですか」

そう頼んだら、彼は少しだけ迷った様子を見せた後に
「あんまり気持ちが良い話じゃないかもしれないよ」

「かまわないですよ」

答えると、雪生さんは頷いた。彼は軽くお茶をすすってから、ゆっくりお母さんのことを語り始めた。

わたしはときどき混ぜる相槌以外には、音楽を聴くように黙って耳を傾けていた。

彼の話は長くて間断なく、好きと嫌いを決めかねて未だ境界線の上で立ち尽くしている喋り方だった。

ようやく話が途切れたとき、ほっとしたように左手で自分の顔を撫でた雪生さんを見て
「ありがとうございました」

そう言ったら彼はまだ少し戸惑っているような表情をしていた。

「本当のことが聞きたかったんです」

わたしの言葉に、雪生さんは曖昧に頷いた。

立ち上がって帰るしたくをしていると、雪生さんが部屋の明かりを消して、途中まで送っていくと言った。

マンションの階段をおりると、だいぶ空気がひんやりとしていた。どこかで虫が絶え間なく鳴いている。

サイトウさんのことを思い出しているのかと訊かれたので、わたしは、そんなことはないと首を横に振った。

「あの人と親しくなったのはもう少し寒い時期でしたし」

この適度に涼しい空気の中で思い出そうとすると、サイトウさんとすごした冬の夜は、記憶というよりも映画館のスクリーンで見た映像のようだった。

一緒にいたことではなく、感情ではなく、あの冬の感じが上手く思い出せなかった。帰り道で話し込んでいると靴の中の指先がいつも痛かったことや、体が小刻みにふるえていたことや葉の落ちた直線的な枝が影を落とす冷たい夜。

当然だが、Tシャツを擦り抜ける風を心地良く感じる今はまだ、あの寒さが実感と

してよみがえってこない。そのことになによりも時の流れを感じた。

すっかり感傷に浸っていると思ったのか、雪生さんは横目でうかがうようにわたしの顔を見ていた。マンションを出て、大きなビルの谷間の路地を通って駅へむかった。

わたしはとなりを歩く雪生さんを見上げて
「この前もキクちゃんに言われたんですけど、本当に終わったんだなって、良くも悪くも過去の出来事になったんだなあって考えてたんです」

「どんなことを思い出してたのか、聞いてもいいかな」

顔をあげると、電柱に張られた英会話教室のポスターが風に吹かれて今にもはがれそうだった。小さな居酒屋に灯った、たくさんの明かりがにぎやかだ。

「予備校の帰りに変な男の人につけられたことがあって、まっすぐに家に帰るわけにもいかずに電車を途中下車して、駅前のコンビニから電話をしたら迎えに来てくれたんです。

その後もしばらく、心配だからって授業が終わった後にはかならず家の近くまで送ってくれて。

子供のころ、遊んだり遠出して帰りが遅くなると、友達は普通に車で親に迎えに来てもらったりしてたけど、うちは共働きで二人とも忙しかったから、だれかに迎えに来てもらうっていう発想がなかったんですね。だから、事情を説明してすぐにサイトウさんが来てくれたとき、すごく新鮮だったんです」

相槌を打ちながら煙草の自販機の前で雪生さんは立ち止まると、ズボンの後ろポケットからサイフを取り出してセブンスターを買った。それからとなりの飲み物の自販機に小銭を入れて、好きなボタンを押すように促した。わたしは恐縮しながら冷たいレモンティーを買ってもらい、歩きながら飲んだ。

買った煙草を片手に、ふと雪生さんが

「そういえば、野田さんは吸わないのに煙草のケムリはけっこう平気だったね」

と呟いたので

「前は苦手でしたよ。サイトウさんがよく吸ってたから平気になったんです」

そう言ってから、自分の言葉に思わず眉を寄せてしまうと雪生さんは笑いながら

「一緒にいたら影響されるのは当然だよ。抵抗しなくて良いんだよ」

そうですね、と相槌を打ちながら、わたしは街路樹の葉と葉の間でひっそりと輝いている月を見上げた。路上のゴミ捨て場を一匹の大きなアゲハ蝶が飛びまわってい た。放置されて穴の開いたゴミ袋のまわりを黒と黄色の羽根を広げて揺れている。

まだ騒々しい駅前に出て、キップを買ってから雪生さんにお礼を言った。

「キクちゃんはすごく雪生さんのことが好きですよ。たぶん夏生君もお父さんも。だから一枚隔ててるなんて言わないでください」

「うん。そうだね」

彼はちょっと笑いながらそう言って、頷いた。

「ありがとう」

わたしは首を横に振って改札の中へ入った。一瞬だけ振り返ると、交差点にむかって歩いていく彼の後ろ姿が見えた。口の中に飲み終えたばかりのレモンティーの香りがまだ強く残っていた。

バイト先のドアを開けると、渋い顔をした谷口さんがレジに立っていた。

「おつかれさまです」

そう言って交替を告げると、彼はそっと指をさした。店の奥で店長が青年マンガの並んだ棚をながめている。わたしが苦笑いすると、彼はエプロンを外して奥のロッカールームへ消えていった。

「もう具合は大丈夫なんですか?」

レジへ戻ってきた店長に話しかけると、深いため息をついて首を横に振った。

「医者はもう大丈夫だって言うんだけど、やっぱりまだ調子が悪いんだよね。けど、あんまり休んでるとここの業務に響くからさ。谷口君にも迷惑かけちゃったし」

まさか谷口さんは店長の座をねらっていましたなどと言えずに適当に相槌を打っていたら、ドアが開いて夏生君といつもの制服の友達が入ってきた。

「いらっしゃいませ」

どうも、とあいかわらず無表情で会釈をした彼が、ビデオで浮かべていた笑顔を思い出して吹き出しそうになるのを堪えた。

「ビデオ見たよ。やっぱり良い声だった。これからどんどん上手くなるよ」

そう告げたら夏生君はうつむいて黙り込んでしまった。となりの友達が不思議そうな顔でわたしたちの顔を交互に見た。どう考えても自分は無関係だと分かるにもかかわらず
「野田さん、ビデオってなに?」

口を挟んだ店長を一瞥してから夏生君は
「最後の曲ってどうでしたか?」

はっきりした声で言った。

「そういえばあれだけは知らない曲だったな。サビはちょっとどこかで聴いたような印象だったけど、Aメロは良かったよ。とくに出だしとか、懐かしい感じがして」

「あれは俺が作った曲なんです」

そう言って顔をあげた夏生君は強い目をしていた。自信はないけれど意志だけは強い、そういう少年の目だった。わたしは頷いた。

「夏生君たちの兄弟って、あんまり似てないようで、良いところは共通して受け継が

れてる気がする」

わたしの言葉に彼は少し不服そうな顔をしながらも、そうですか、と呟いた。

「酔うと親父の同じ口癖をずっと聞かされてたから。努力は自分の好きなことにだけ使えとか、なんでもあせったら負けだとか。死ぬ間際に、嫌だったことやつらいことなんか、なに一つ思い出せないように生きろとか」

「あのお父さんの言いそうな台詞だね」

わたしが笑うと夏生君は仏頂面のまま頭を掻いて
「どうせ若いころに見た青春映画かなにかの受け売りですよ」

素っ気なく呟いてから、伝票を受け取って彼らは店の奥に消えていった。

わたしは店長に留守だった間の出来事を伝え、かすかに覚えていたメロディーをためしに口ずさんでみた。


夏休みが終わって登校した大学には一瞬だけ懐かしさを覚えたが、校舎から出てき

た大勢の学生を見て、すぐに現実に引き戻された。

中庭を歩いていると秋の風が腕に絡まっては擦り抜けていく。かすかに乾いた空気の匂いを吸い込みながら授業へいそいだ。

ひさしぶりに顔を合わせた友達は思っていたほど日には焼けておらず、休みの前と同じ様子で授業を受けていた。

第二外国語の教室で実家のお土産を渡された加世ちゃんに、借りていた部屋のお礼を言うと

「こっちこそ迷惑かけたみたいで」

あの人はどうしたのかと尋ねたら、自分が戻ってから一度だけ話し合って以来、アパートに通い詰めることはやめたという。

「そのときに言った言葉がよほど徹(こた)えたみたいだよ」

わたしはお土産のあぶらとり紙と加世ちゃんの顔を交互に見てから、彼女がなにを言ったかは聞かないでおくことにした。

それから週末にラグビーの試合があるから見に来ないかと誘われた。今はラグビー

部の男の子と付き合っているという。

わたしはその日の夜に雪生さんに電話をかけた。

「もし今週末が空いてたら、一緒にラグビーを見に行きませんか?」

彼はおそらく大丈夫だと答えた。それから少し間があって
「野田さんのほうから誘ってくるなんて初めてだね」

しみじみとした口調で呟いた。わたしは恥ずかしくなって、適当に言葉を濁して電話を切った。


当日は自宅の近くの駅で待ち合わせをした。

車の助手席のドアが開いたので乗り込んだ後、なんとなくお互いに無言になった。

彼はオアシスのCDをかけて、わたしは少しだけ窓を開けた。

「あれから色々と考えたんだけど」

そう切り出され、わたしは彼のほうを見た。

「待とうかと思うんだよ」

「なにを?」

「君がいろんなことに対して感情の整理がつくまで」

「どれくらいかかるか分からないですよ」

「たぶんね」

落ち着いた顔で雪生さんはそう言ってから、静かにブレーキを踏んだ。

「お母さんのこと、好きでしたか?」

「うん。ただ、本当に感情の起伏が激しくて、すごく優しくしてくれるときもあれば、おなかが空いたって言っただけで怒鳴られたり泣き出したりすることもあった。今から思えば真面目すぎる人だったんだと思うよ。

完全主義で少し潔癖なところがあって、料理の味が少しでも上手くいかないと、すぐにごみ箱に捨てたりね」

「けど、雪生さんは、お母さんと関わった時間の少ないキクちゃんや夏生君のことをうらやましいって言ってたけど、本当は家族中が大変な思いをしてもお母さんと一緒にいたかったって思ってるんじゃないですか?」

雪生さんは少し困ったような表情で、なにも言わずに車を発進させた。

競技場は立ち眩みがするほど広くて、空が抜けるように高かった。

客席で同い年ぐらいの子たちの騒ぐ声がさざ波のように響いている。わたしは遠くのほうで立ち上がってこちらに手を振った加世ちゃんに手を振り返してから、雪生さんと一緒に自分の大学の応援席に座った。

グラウンドや階段のいたるところで光が乱反射している。

わたしは額にかいた汗を拭った。雪生さんが冷たいジュースを買ってきてくれた。

「どっちが勝つだろうね」

「どうでしょうね」

「自分の大学に勝ってほしい?」

あまり闘争心のないわたしの返事に気付いたのか、からかうように雪生さんが言った。

「そりゃあ、まあ、そうですよ」

「じゃあもし相手の大学が勝ったら、来年の夏には僕とタイのプーケットに行こう」

目を細めて彼のほうを見ると、その背後には透明な空が広がっていた。試合の開始時間が近づくにつれて、雑然とした客席の空気がじょじょに煮詰まっていく。

さっきは待つなんて言ってたのに、そう思いながらも少しだけ動揺している自分に気付いた。

「いいですよ」

「本当に?」

「その代わり、わたしが勝ったら、もうだれにも嘘はつかないって約束してください」

分かった、とくっきりした声で雪生さんは言った。わたしたちは前をむいた。

並んだ選手の体格がみんな驚くほどしっかりしていることに感心しながら、ジュースの缶を握りしめた。

次第に音量の上がる声援に包まれていく。少しずつ速くなっていく鼓動を感じた。

試合開始の合図と共に、わたしたちは少しだけ身を前に乗り出した。

あとがき

厳密には、この物語は恋愛小説とは言えないかもしれない。

ただ、書き終えてみると自分自身の中にある恋愛のイメージがもっとも強く反映された作品になった。

だれかを救いたいと思うこと。その相手の手を放すか、それとも摑むかの一瞬の違いが恋愛の残酷さでもある。

そんな恋愛の一面を通して主人公の少女時代の終わりを書きたかった。実際にそうするかどうかは本人次第だとしても、だれもがかならず最後には森から出て行くことができるはずだと私は思っている。

終わった恋が何を残すかは人それぞれだけど、苦しいときにこそ見える世界と触れることのできる関係もあると思うので、怖がって閉じこもらずに少しずつでも良いから前に歩こうという気持ちになってもらえたら嬉しい。

この作品が完成するまでに、いつも以上に多くの方々にお世話になりました。とても感謝しています。そして最後まで読んでくださった皆様、本当に本当にありがとうございました。

また次の作品で会いましょう。

二〇〇三年一二月

島本　理生

初出誌　「群像」２００３年10月号

島本理生（しまもと・りお）

1983年、東京生まれ。

1998年、「ヨル」で「鳩よ！」掌編小説コンクール第二期10月号当選（年間MVP受賞）。

2001年、「シルエット」で第44回群像新人文学賞優秀作を受賞。

2003年、「群像」2002年11月号に発表された「リトル・バイ・リトル」が第128回芥川賞候補となる。

同作で第25回野間文芸新人賞を史上最年少で受賞。

2004年、「群像」2003年10月号に発表された「生まれる森」が第130回芥川賞候補となる。

現在、立教大学文学部在学中。

著書に『シルエット』『リトル・バイ・リトル』（ともに講談社）がある。

生まれる森（うまれるもり）
二〇〇四年一月三〇日　第一刷発行
二〇〇四年二月二三日　第二刷発行

著者——島本理生（しまもとりお）

発行者——野間佐和子
発行所——株式会社講談社
東京都文京区音羽二—一二—二一
郵便番号一一二—八〇〇一
電話　出版部　〇三—五三九五—三五〇四
　　　販売部　〇三—五三九五—三六二二
　　　業務部　〇三—五三九五—三六一五

印刷所——凸版印刷株式会社
製本所——黒柳製本株式会社
定価はカバーに表示してあります。

ISBN4-06-212206-5

＊島本理生の本＊

シルエット

そっと抱きしめたい、人を想う痛みといとおしさ。
清新な感性がきらめく、17歳のデビュー作。

群像新人文学賞優秀作受賞

リトル・バイ・リトル

少しずつ、少しずつ、歩いていこう——ささやかな
日常の中の光を描く、みずみずしい家族小説。

野間文芸新人賞受賞

D0877377